WARUM KATZEN MALEN

Eine Theorie der Katzen-Ästhetik

HEATHER BUSCH

BURTON SILVER

TASCHEN

„Um etwas Wirklichkeit werden zu lassen, müssen wir es zuerst denken."

Albert Einstein

© 1995 Benedikt Taschen Verlag GmbH,
Hohenzollernring 53, D–50672 Köln

Lizenz für den deutschen Sprachraum:
Benedikt Taschen Verlag, Köln

Text, Illustrationen und Fotografien © 1994,
Burton Silver und Heather Busch

ISBN 3–8228–8812–5

Fotografische Assistenz: Martin O'Connor und
Annelies Van Der Poel
Technische Assistenz: Ian Biggs und Kriss Rose
Typographie: Trevor Plaisted
Redaktion: Melissa da Souza-Correa
Idee, Ausführung und Gestaltung:
Heather Busch und Burton Silver
Zusammengestellt von Silverculture Press,
487 Karaka Bay Road, Wellington 3, Neuseeland

Produktion der deutschen Ausgabe:
WZ Media, Stuttgart
Übersetzung ins Deutsche: Widmar Puhl und
Marion Zerbst
Korrektur: Karl Beer
Redaktion: Werner Waldmann
Satz: Claudia Tiffinger und Bernd Hirschmeier

„Warum Katzen malen" ist ein behördlich genehmigtes
internationales Experiment zur Untersuchung des
interspezifischen morphogenetischen Feldes und zur
Überprüfung der Hypothese von der formativen
Kausalität. I.E. # 644-38837-59

Veröffentlicht mit Unterstützung der britischen
Gesellschaft für Nicht-Primaten-Kunst

Printed in Hongkong

Umschlaginnenseite:
Orangello: *Holt mich rauf,* 1982. Acryl auf gelbem
Karton, 48 x 68 cm. Sammlung F. Norbert.

INHALTSVERZEICHNIS

ZUM GELEIT

Die Entdeckung gegenständlicher Zeichnungen von Hauskatzen wird meinem verstorbenen Mann Dr. Arthur Mann zugeschrieben. Er hätte aber sicher nichts dagegen, wenn ich Ihnen mitteile, daß er dabei entscheidende Anstöße von zwei Dreijährigen bekam. Der eine war ein bildhübscher rötlicher Kater namens Orangello, die andere das ebenso hübsche Mädchen Francesca.

1982 war Arthur zu Besuch bei der Familie Norbert, der Orangello gehörte. Er wollte das äußerst produktive Zeichenverhalten des Katers für seine Dissertation über die Aktivitäten von Katzen zur Abgrenzung ihres Reviers untersuchen. An den Wänden des großen Ateliers hingen Orangellos bunte Werke, und alle waren sorgfältig beschriftet: Entstehungsort und -datum, Technik und verwendete Farben, Zeitaufwand und Proportionen. Trotzdem hatte Arthur nach fünf Monaten noch immer keine plausible Erklärung dafür gefunden.

Den Schlüssel zur Interpretation der Werke lieferte die dreijährige Tochter der Norberts. Eines Nachmittags lag sie rücklings auf dem Boden, nuckelte an ihrer Flasche, legte den Kopf in den Nacken, deutete auf eines der Bilder und sagte: „Muh-Kuh!" Und dann: „Das auch Muh!" Ein paar Stunden später bat Arthur sie im Spaß, ihm die Kühe doch noch einmal zu zeigen. Zunächst starrte Francesca ihn nur verständnislos an. Dann drehte sie plötzlich ihren Kopf, betrachtete die Bilder verkehrt herum und hatte die Kühe rasch wieder gefunden. Arthur wurde neugierig, machte es ihr nach und entdeckte zu seiner Überraschung in groben Umrissen skizzierte, aber durchaus erkennbare Bilder verschiedener Gegenstände im Haus, zum Beispiel die große hölzerne Kuh, die als Türstopper diente. Orangello malte tatsächlich, aber er stellte alles auf den Kopf, so wie der deutsche Maler Georg Baselitz.

Endlich war bewiesen, daß Katzenmalerei kein bloßes Reviermarkierungsverhalten ist, sondern eine wohldurchdachte Form der Kommunikation. Was das für eine Kommunikation ist und welche Absicht dahintersteckt, können wir nur vermuten. Hätte jemand die Forschungen meines Mannes nach seinem Tode weitergeführt – ich bin sicher, wir wüßten inzwischen mehr. Aber vielleicht hat uns Orangello selbst in seinem Bild *Holt mich herauf* (Seite 2) einen Hinweis gegeben: Er malte dieses Bild einen Tag, nachdem Francescas kleiner Scotchterrier in einen alten Brunnenschacht gefallen und gestorben war. Uns kommt dieses Bild lyrisch und ausgewogen vor. Es erinnert an Blumen an einem Frühlingstag oder an im Wind hin und her flatternde Pfauenfedern nach einem Festmahl. Aber Francesca, die das Bild sofort verkehrt herum betrachtete, erkannte darin auf Anhieb die unverwechselbaren spitzen Ohren und die Stupsnase ihres geliebten Scotchterriers.

Nora Mann

Links:
Orangello hat seine Arbeit an einem auf dem Kopf stehenden Dahlienbild unterbrochen, um einen zahmen Papagei zu beobachten, der eben vor seinen Füßen gelandet ist. Orangello verfolgte den Papagei zwar nicht, aber seine Anwesenheit schien ihn doch ziemlich zu irritieren – so sehr, daß er sein Werk später mit zahlreichen Vertikalen unkenntlich machte. Das legt die Vermutung nahe, daß dieses Gemälde eher ein Stimmungsstück war als ein gegenständliches Werk. Auf jeden Fall war das ein großer Verlust. Denn Katzengemälde dieser Art, begleitet von fotografischen Dokumentationen, sind äußerst rar und erzielen auf dem Kunstmarkt 15 000 Dollar oder mehr.

VORWORT

Erkennen Sie das Zeichen, zu dem der Schwanz der Katze geformt ist? Der kätzische Ursprung des Fragezeichens ist uns viel zuwenig bewußt. Katzen signalisieren durch die Stellung ihres Schwanzes ihre wechselnden Stimmungen und Wahrnehmungen. Und da der Mensch schon in früheren Kulturen davon ausging, daß Katzen über ein geheimes Wissen verfügen, hielt man diese Signale für wichtig und ließ sie in die ersten menschlichen Schriftzeichen einfließen. So findet man den typischen hochgebogenen Schwanz der neugierigen Katze immer noch in fast allen Texten als Symbol für eine Frage. In diesem Buch möchten wir die verschlüsselten Signale erkunden, die eine kleine Elite von Hauskatzen uns auch heute noch mitteilt. Wir hoffen, dadurch das Interesse an ihrer einmaligen Art, Realität zu rezipieren, neu zu entdecken – und vielleicht wertvolle Einsichten daraus zu gewinnen.

Natürlich ist uns klar, daß wir uns mit Katzen niemals so verständigen können wie mit Menschen – und auch Katzen nicht mit uns. Zwar hat man Delphine und Schimpansen schon sehr erfolgreich darauf abgerichtet, menschliche Befehle zu verstehen und darauf zu reagieren. Trotzdem ist die Kluft, die den Menschen von einem Verständnis der Psyche des Tiers trennt, nach wie vor groß. Und die Tatsache, daß sich bisher fast alle Versuche, die tierische Umweltwahrnehmung zu analysieren, auf streng empirische Methoden beschränken, trägt auch nicht gerade dazu bei, diese Kluft zu verringern.

Wir möchten den Wert solcher Studien nicht leugnen. Aber wir sind der Meinung, daß man durch eine künstlerische Betrachtung ihres Reviermarkierungsverhaltens viel mehr über die Wahrnehmung der Hauskatze lernen kann als im Rahmen rein wissenschaftlicher Untersuchungen. Die Biologen sagen zum Beispiel, daß die künstlerische Aktivität des Menschen dadurch entstand, daß er schon in frühester Zeit das Bedürfnis hatte, sein Territorium und seinen Besitz abzugrenzen und damit als sein Eigentum zu kennzeichnen. Zur Unterstützung dieser Theorie weisen sie darauf hin, daß Kunst so gut wie nie ausschließlich nach objektiven Maßstäben beurteilt wird – der Name des Künstlers als Urheber spielt immer eine Rolle. Ob es sich um Graffiti in der U-Bahn oder um eine Retrospektive im Museum of Modern Art in New York handelt: Für Biologen ist Kunst immer das Endprodukt einer starken Sehnsucht des Menschen nach Status und Anerkennung innerhalb einer Gruppe.

Doch wenn man bedenkt, wieviel mehr Kunst ist und wieviel wir durch sie über die Welt erfahren haben, wird man verstehen, warum wir es für falsch halten, unser Verständnis der Katzenmalerei weiterhin auf eine rein wissenschaftliche Analyse zu beschränken. Theorien über die Ästhetik von Zeichen bei Nicht-Primaten sind nicht neu. Doch ist uns klar, daß jeder Versuch, Markierungen von Katzen als Kunst zu beschreiben, wegen der großen Beliebtheit dieses Haustiers gewisse Gefahren in sich birgt. So hat zum Beispiel der wachsende Marktwert

Der typische hochgebogene Schwanz einer neugierigen Katze, aus dem unser Fragezeichen entstanden ist – bis hin zum Punkt.

von Katzenkunst zu einigen höchst dubiosen Zuchtprogrammen geführt (vor allem mit Perserkatzen in Australien). In einigen zum Glück seltenen Fällen wurden Katzen auch darauf dressiert, für eine Belohnung zu „malen". Der geschulte Blick erkennt die Resultate solcher Versuche sofort an ihrem offenkundigen Mangel an künstlerischer Integrität. Doch da sich anhand von Fotos beweisen läßt, daß der Urheber tatsächlich eine Katze ist, dringen solche Machwerke in immer größerer Zahl auf den internationalen Kunstmarkt – und leichtgläubige Katzen- wie Kunstliebhaber zahlen horrende Preise dafür. Solche Werke mögen großes öffentliches Interesse und hitzige Diskussionen auslösen. Letzten Endes aber verheißt diese Entwicklung nichts Gutes. Möglicherweise wichtige Botschaften, die die Katzen für uns haben, gehen in der Rangelei um die kommerzielle Vermarktung unter. Da Katzengemälde so voller dynamischer Lebensfreude stecken, ist es nur natürlich, daß viele Menschen sich daran erfreuen möchten. Insofern ist die Kommerzialisierung von Katzenkunst unvermeidlich. Motive aus Katzengemälden sind sogar schon als Stoffmuster, auf Tapeten und Keramiken aufgetaucht. Wichtig ist allerdings, daß die Bedeutung der Katzenkunst durch diese Modewelle nicht geschmälert wird. Wir dürfen uns nicht dazu verleiten lassen, sie aus dem künstlerischen Kontext zu lösen, in dem ihr die gebührende seriöse Würdigung zuteil wird.

Wir hoffen, daß dieses Buch eine Inspiration für den Leser sein wird, die ästhetischen Ansätze im Muster von Pfotenspuren in Katzenstreu zu entdecken oder eine Schale mit feuchtem Kreidestaub in der Nähe des Kühlschranks für künstlerische Aktivitäten zur Verfügung zu stellen. Wir wollen hier aber keine Anleitungen dazu geben, wie man eine Katze zum Malen ermuntern könnte. Mit dieser moralisch heiklen Frage beschäftigen sich andere Bücher, die Sie im Literaturverzeichnis finden. Wir möchten auch keine detaillierten Informationen über Materialien, Techniken oder die Analyse der künstlerischen Komposition vermitteln. Auf Themen wie die Einpunktperspektive in der Katzenmalerei beispielsweise wird in Artikeln von Fachzeitschriften wie *Moderne Katzenkunst* oder im Katalog der bahnbrechenden Ausstellung über die Wahrnehmungsweise von Katzen im Museum für Nicht-Primaten-Kunst in Tokio ausführlich eingegangen.

Schließlich möchten wir darauf hinweisen, daß wir dem Speziismus verpflichtet sind – einer Schule, die ästhetische Ansätze in den Bewegungen, Zeichen oder Tönen verschiedenster Arten von Lebewesen erkennt und diese in der Hoffnung, daraus neue Erkenntnisse zu gewinnen, unvoreingenommen interpretiert.

Wir glauben, daß jede Spezies auf diesem Planeten das gleiche Recht auf Selbstbestimmung hat. Wir Menschen müssen unseren Drang unterdrücken, in die Katzenkunst nur unsere eigenen Wahrnehmungen und Wertvorstellungen hineinzulegen. Statt ihre ästhetische Entwicklung in unseren Begriffen zu definieren, sollten wir den wenigen malenden Katzen lieber gestatten, ihre individuellen künstlerischen Möglichkeiten zu entwickeln. Nur so können wir sicher sein, daß sie uns ihre einmalige, unverfälschte Weltsicht vermitteln und uns vielleicht sogar wertvolle Anhaltspunkte dafür geben können, wie wir das Überleben und künftige Wohlergehen aller Lebewesen auf unserem Planeten sichern können.

Heather Busch und Burton Silver, Wellington, 1994

EINLEITUNG

An einem Vormittag im Frühjahr 1978, zwei Wochen nach einer Diskussion mit einem eher konservativen Kollegen darüber, was Kunst ist und was nicht, erhielten wir die unten abgebildeten Schnappschüsse aus einer russischen Fernsehsendung über eine Katze, die „malte". In dem Briefumschlag mit den Fotos lag ein Zettel unseres Kollegen mit der ironischen Bemerkung: „Ich nehme an, das ist auch Kunst, oder?" So wurden wir erstmals mit der Möglichkeit konfrontiert, daß Katzen vielleicht tatsächlich malen können. Das faszinierte uns. Die Entwürfe wiesen eine Symmetrie auf, die sogar für eine dressierte Katze bemerkenswert war, und es lag etwas darin, was zu den elementarsten Kriterien für die Beurteilung eines Kunstwerks gehört: eine potentielle Aussage.

Als unser Kollege aus Moskau zurückkam, überhäuften wir ihn mit Fragen über diese Katze. Aber er erinnerte sich nicht mehr so genau an die Sendung und hatte auch keine Ahnung, worum es da ging, weil er kein Russisch verstand. Er hatte die Fotos abends vor dem Fernseher in seinem Hotelzimmer gemacht, um uns zu provozieren, und wußte gar nicht, ob der Film in einem Labor entstanden war, ob ein Dresseur beteiligt war und wann er den Film in welchem Programm gesehen hatte. Er erinnerte sich nicht einmal mehr, welche Wodkamarke er an jenem Abend getrunken hatte. Unsere Versuche, vom russischen Fernsehzentrum in Ostankino Näheres zu erfahren, stießen auf ein kategorisches „njet". Wir waren schon nahe daran, aufzugeben, da erinnerte sich einer unserer Freunde an einen Leserbrief in der Zeitschrift *Folkestone Star* über eine Katze, die Küchenschranktüren bemalte.

In dem ausgezeichneten Archiv dieser Zeitschrift entdeckten wir den Brief, den eine gewisse Mrs. M. Smith aus Canterbury geschrieben hatte. Mühsam fragten wir uns zu ihr durch, bis es schließlich zu einem persönlichen Gespräch kam. Leider war ihr Muffy schon vor drei Jahren gestorben, aber einige seiner Bilder zierten immer noch die Tapete im Flur. Und ihre Freundin hatte einen rötlichen Tigerkater, der ab und zu sehr interessante Farbkompositionen auf dem Kühlschrank hinterließ. Wir wurden eingeladen, uns das einmal anzusehen. Als wir uns

am nächsten Wochenende zu siebt in der besagten Küche drängelten, war das für „Tigger" einfach zuviel. Er dachte nicht daran, ins Haus zu kommen, geschweige denn, in der Küche zu malen. Doch drei Wochen später waren wir nur zu zweit und wurden mit einer kurzen, aber fesselnden Darbietung seiner Kunst belohnt.

Tigger starrte eine Weile auf die weiße Tür des Kühlschranks. Dann ging er zu einer der Untertassen mit dickflüssiger Farbe, die neben dem Kühlschrank standen, und strich mit dem Ballen einer Pfote vorsichtig darüber. Nun stellte er sich gekonnt auf die Hinterbeine und setzte einen sehr feinen, kommaähnlichen Farbfleck in Blau direkt unter den Griff der Kühlschranktür. Das wiederholte er noch dreimal mit verschiedenen Farben, jeweils ein Komma unter dem anderen. Dann warf er noch einen kurzen, fast gelangweilten Blick auf sein Werk und schlenderte nach draußen, um seine Pfoten zu putzen. Das Ganze dauerte nur ein paar Minuten und war von einer lässigen Anmut – als sei das alles das Selbstverständlichste von der Welt.

Viele Leute, die zum erstenmal eine Katze beim Malen beobachten, empfinden das gleiche wie wir: Es wirkt so natürlich, daß sie sich erst später fragen, warum die Katze das tut. Aber dann stürmen mit einem Schlag gleich auch noch viele andere Fragen auf sie ein. Versucht das Tier etwas darzustellen, vielleicht einen Gegenstand oder eine Gemütsverfassung, und wenn ja, warum? Will die Katze uns oder einer anderen Katze etwas mitteilen, oder malt sie nur, um ihre eigene Gefühlswelt zu erforschen? Gibt es wirklich Katzen, die ein ästhetisches Empfinden haben, oder ist ihre Kunst einfach nur eine Form der Reviermarkierung, wie viele Biologen meinen? Heute sind wir der Antwort auf solche Fragen viel näher als damals vor fünfzehn Jahren, als wir die ersten Fotos sahen. Seitdem hat man viele neue Erkenntnisse über Katzenmalerei gewonnen. Einige dieser Erkenntnisse möchten wir Ihnen in diesem Buch vermitteln. Vielleicht gewinnen Sie dadurch Einsichten, die dazu beitragen, die vielen Rätsel zu lösen, die immer noch vollkommen ungeklärt sind und uns aus unergründlichen Katzengesichtern hämisch anlächeln.

Unten:
Dieses Tier, wahrscheinlich eine Birmakatze, war 1978 in einer russischen Fernsehsendung zu sehen. In Rußland weiß man nicht viel über Katzenmalerei, und über diese spezielle Katze ist überhaupt nichts bekannt. Die bemerkenswerte Symmetrie ihrer abstrakten Komposition weist sie aber als bereits arrivierte Künstlerin aus.

1 Ein Blick in die Geschichte

Im Jahr 1990 machte ein Team australischer Archäologen im Grab des Wesirs Aperia am Westufer des Nils eine bahnbrechende Entdeckung. Sie fanden die einbalsamierten und ineinander verschlungenen Leichen von zwei weiblichen Katzen namens Etak und Tikk, die hier seit fünftausend Jahren unter der Erde verborgen gelegen hatten. Was Professor Peter Sivinty und seine Mitarbeiter so erregte, waren nicht die kunstvollen Amulette aus Bronze und Gold, die ihren Hals schmückten, und auch nicht der bemerkenswert gute Zustand der nicht mumifizierten Überreste. Nein, es war die Tatsache, daß beide Tiere zwischen den Vorderbeinen ein sorgfältig zusammengerolltes Papyrusblatt mit deutlich sichtbaren Abdrücken von Katzenpfoten trugen. Das sind die frühesten bekannten Gemälde von der „Hand" einer Hauskatze und der erste schlüssige Beweis dafür, daß die alten Ägypter das Reviermarkierungsverhalten von Katzen sehr genau kannten und ihm religiöse und ästhetische Bedeutung zuschrieben.

Nach der Entdeckung der Aperia-Katzen wurden weltweit alle sterblichen Überreste von Katzen in Museen sorgfältig überprüft, und man fand auch noch auf einer Reihe anderer Grabbeigaben Pfotenabdrücke, die allerdings kaum noch zu erkennen waren. Man hatte sie vorher irrtümlich für Schmutzflecken gehalten oder, wie es in einer wissenschaftlichen Beschreibung heißt, für „einen einzelnen waagerechten Schmierfleck (Größe: 2,5 x 31,5 cm) von zuviel Einbalsamierungsöl".[1]

Aber warum waren diese Zeichnungen so einfach? Warum bestanden sie nur aus einem oder zwei Strichen, während die Kompositionen heutiger Hauskatzen weitaus komplexer sind? Die überzeugendste Erklärung dafür stammt von Professor Sivinty selbst. In seinem Buch *Epistemologie der Reviermarkierungen von Katzen im alten Ägypten* schreibt er, „daß die Katze damals wahrscheinlich zu ebenso kunstvollen Kompositionen fähig war wie unsere modernen Hauskatzen. Aber da man sie als Medium betrachtete, durch das sich die Götter den Irdischen offenbarten, hätte man eine verwirrende Vielfalt von Linien in der Katzenmalerei für unangebracht gehalten. Die Priester verlangten einfache, unmißverständliche Zeichen, die Autorität ausstrahlten. Höchstwahrscheinlich nahm man den Katzen also damals schon nach dem ersten oder zweiten Strich Farbe und Schriftrolle weg, weil man glaubte, sie seien bereits fertig." Für diese Theorie spricht auch der Lapislazuli-Papyrus (rechts), auf dem eine Katze zu sehen ist, die voller Selbstvertrauen einen sehr kräftigen Hieb mit der Pfote ausführt. Zu beachten ist dabei ihre Position direkt über dem *Udjat*, dem Symbol des alles sehenden Auges.

Papyrus als Grabbeigabe der *Lapislazuli-Katze*, Bodhead Library, Oxford. Man beachte den aufgerichteten Schwanz der malenden Katze – ein Zeichen, daß sie mit dem Hieroglyphentext zufrieden ist.

Links:
Die Aperia-Katzen, um 3000 v. Chr., mit ihren Schriftrollen (die linke ist Etak). Phakat Museum, Kairo.

[1] A. Crighton: *Fünf Katzengemälde auf ägyptischen Grabbeigaben.* In: *Zeitschrift für kreative Ägyptologie, Jg. 44, 1951.*

Früher dachte man immer, daß Katzen mit erhobenen Pfoten das Zeichen des Sonnengottes Ra machten. Doch inzwischen ist klar, daß sie malen und daß das Bild einer malenden Katze allgemein als ein Zeichen himmlischer Billigung des Inhalts einer Schriftrolle betrachtet wurde.

Einige wissenschaftliche Studien vertreten die These, daß die Hieroglyphen auf den Schriftrollen in Katzengräbern eine Interpretation der Katzengemälde sein könnten, die später von Priestern hinzugefügt wurden. Im Xois-Papyrus (Seite 15) beispielsweise lesen wir: „Befreie uns von der Last der Fragen. Wir wollen vertrauensvoll leben, ohne Fragen zu stellen." Da die neugierige Stellung des Katzenschwanzes in der Zeichnung so deutlich dargestellt und dann durch eine diagonale Linie verneint ist, geht man davon aus, daß Worte, die so genau passen, später hinzugefügt worden sein müssen.

Aber so verlockend es auch sein mag, diese Hieroglyphen als eine der ältesten bekannten Kunstkritiken zu interpretieren – es gibt doch mehrere Stellen, wo die Katzenmalerei die Inschrift von Menschenhand überdeckt, was beweist, daß sie später hinzukam. Wenn man noch einen weiteren Beweis dafür braucht, daß die Katzenzeichen erst ganz zuletzt als Siegel göttlicher Bestätigung angebracht wurden, kann man ihn in dem berühmten Wandgemälde von Deir el-Medina (Seite 16) finden. Hier bestätigt das Katzenzeichen eindeutig den Hieroglyphentext.

b.

c.

d.

Links:

(a) Das *Udjat* ist das altägyptische Zeichen für das alles sehende Auge. Es kann selbst die höheren Regionen des Göttlichen durchdringen, die dem Menschen nicht zugänglich sind. Dieses Symbol taucht oft im Zusammenhang mit Katzen auf. Man beachte, daß auch das Auge der malenden Katze in der Form des *Udjat* dargestellt wurde!

(b) Diese Symbolgruppe stellt das *Ebut* dar – das Malgerät der Katze. Die beiden runden Formen stehen für zwei verschiedene Malfarben. Die L-förmige Figur links davon stellt Staffelei und Palette *(Lex)* dar. Darunter ein Hocker *(Poot)*, auf dem die Katze beim Malen sitzt. Das *Ebut* bedeutet Bestätigung.

(c) Das *Punkut* – ein Symbol aus zwei sich gegenüberstehenden, zum Fragezeichen gebogenen Katzenschwänzen über dem ovalen *Ru*-Zeichen. *Ru* steht für das Katzenauge, das Tor zum Reich des Übernatürlichen. Das *Punkut* symbolisiert die einander ergänzenden übersinnlichen Wahrnehmungen zweier Katzen, eine Art Yin und Yang der spirituellen Suche.

(d) Dieses beinahe unkenntliche Symbol, das *Nildjat*, steht für eine „meditierende Katze, die in die verborgene spirituelle Welt schaut". Das *Nildjat* stellt die dreieckige Form einer Katze dar, die mit fragend erhobenem Schwanz in philosophischer Betrachtung versunken dasitzt.

Ganz links:

Eine Reproduktion des Wandgemäldes im Grabmal von Deir el-Medina, um 1250 v. Chr. Hier ist der Sonnengott Ra in Gestalt einer Katze dargestellt. Höchstwahrscheinlich vollendet diese Figur gerade die Darstellung des fragend hochgebogenen Katzenschwanzes mit einem darunter gesetzten Pfotenabdruck als Punkt. Das bedeutet spirituelle Suche und Wahrnehmung der geistigen Welt. Die Katzenzeichnung bekräftigt die Aussage der darunter stehenden Hieroglyphen, daß innere Wahrnehmungen lieber von zwei Katzen als nur von einer einzigen bestätigt werden sollten.

Rechts:
Deutsche Tarock-Spielkarte
mit einer Darstellung der
Weißen Königin mit der bösen
Katze „Betrug" (um 1430).
Katzenkunst-Museum
Stuttgart (Raum 17, dritter
Stock, Vitrine 5, Exponat 8.3).
Die Katze macht hier auf dem
Kleid der Dame Zeichen mit
dem Rouge aus der Schmink-
dose. In der deutschen
Märchenwelt ist sie das
einzige Tier, das sinnvolle
Zeichen machen kann. Sogar
Tiere, denen man magische
Fähigkeiten nachsagt, müssen
sich immer erst in eine Katze
verwandeln, bevor sie zu
solchen Darstellungen in der
Lage sind. „Betrug" zum
Beispiel ist in Wirklichkeit ein
Bär (siehe Text Seite 19).

Zwischen dem Jahr 1000 vor Christus und dem Viktorianischen Zeitalter gibt es nur wenige Zeugnisse von Katzenzeichnungen. Damals sagte man Katzen Hexerei nach und verbrannte sie reihenweise auf dem Scheiterhaufen. Das Verhalten von Katzen wurde immer dem Glauben und Aberglauben ihrer Zeit entsprechend ausgelegt. Als die Katzen im Mittelalter in Ungnade fielen, sah man in ihren Kratzspuren und Gemälden plötzlich keine göttlichen Botschaften mehr, sondern Teufelszeichen.

Ein schönes Beispiel dafür finden wir auf einer frühen deutschen Spielkarte (Seite 18). Die Königin hat ihren Arm liebevoll um die Katze „Betrug" gelegt, die Pfotenabdrücke auf ihrem Kleid hinterläßt. Der mittelalterliche Künstler läßt keinen Zweifel an dem Charakter von „Betrug". Die stechenden Augen und die schweineähnliche Nase verleihen der Katze einen grotesk-bösartigen Ausdruck. In dem alten Volksmärchen, auf das die Karte anspielt und das Kurt Pries kürzlich zu einer Oper verarbeitete, schickt die Königin ihre Katze aus, um den bösen Bären zu suchen, der ihre Tochter entführt hat. Der Bär erschlägt die arme Katze, schlüpft in ihr Fell und erzählt der Königin, ihre Tochter werde in einem riesigen steinernen Labyrinth gefangengehalten. Er steckt seine Pfoten ins Schminktöpfchen und malt damit einen falschen Plan von diesem Labyrinth auf das Kleid, um die gute Dame auf der Suche nach ihrer Tochter in eine tödliche Falle zu locken.

Auch wenn das nur ein Volksmärchen ist, steckt doch mehr dahinter: nämlich ein eindeutiger Hinweis darauf, daß man schon damals wußte, daß Katzen sinnvolle Zeichen mit ihren Pfoten machen können. Bezeichnend ist, daß kein anderes Tier in der deutschen Märchenwelt so etwas kann. Auch Tiere mit magischen Kräften mußten sich immer erst in eine Katze verwandeln, um schreiben oder zeichnen zu können. Ein Beispiel dafür finden wir auch in unserem Märchen: Die Königin hat sich prompt in dem Labyrinth verirrt und im Kampf mit dem fürchterlichen Bären beide Arme verloren. Schließlich findet sie ihre Tochter – mit einem Hund im Bett. Ehe sie jedoch etwas unternehmen kann, nimmt der Bär erneut die Gestalt der Katze an und schreibt ein Wort an die Wand. Es muß etwas sehr Schlimmes sein, denn der Hund wird daraufhin so wütend, daß er Mutter und Tochter enthauptet, bevor er schließlich vom Bären getötet wird. Letzterer entpuppt sich als der betrogene König und Ehemann der Dame mit der Katze. (Am Ende ereilt also doch noch alle Beteiligten die gerechte Strafe, denn der Hund war der Sohn des Königs aus erster Ehe und gleichzeitig der Exgeliebte der Königin.)

Ein seltenes Beispiel für mittelalterliche Katzenmalerei, die in einem positiven Licht interpretiert wurde, finden wir im *Book of Kells*, einer alten Handschrift aus einem irischen Kloster. Es enthält die Abbildung eines Heiligen mit dem Kopf und den Pfoten einer Katze. Es scheint sich um Santo Gato, die Heilige Katze, zu handeln, auf die sich Giraldus Cambrensis in seiner *Topographia Hiberniae* bezieht. Dort ist die Legende von einer Katze überliefert, die „viele Zehen hatte und sich bei der Kolorierung des Buches sehr anstellig zeigte". Die Katze im *Book of Kells* hat mehrere zusätzliche Zehen, und wahrscheinlich führte dieser seltene und sonderbare Fall von Polydaktylismus bei einer der Klosterkatzen, verbunden mit einer zeichnerischen Begabung, dazu, daß diese Katze als Botschafter Gottes verehrt wurde.

Unten:
Santo Gato oder Didymus. Detail einer Miniatur aus dem *Book of Kells*, um 900, Fol. 48, Kapitel 17, Johannesevangelium. Universität Belfast. Eine Legende, die Giraldus Cambrensis 1185 überlieferte, berichtet von einer Katze mit vielen Zehen, die den Mönchen des Klosters von Columkille in Irland half, das *Book of Kells* zu kolorieren. Natürlich kam diesen Mönchen, die nichts anderes zu tun hatten, als in aller Abgeschiedenheit handgeschriebene Bücher zu kolorieren, die Gesellschaft von Katzen sehr gelegen. Und da sie selbst Künstler waren, dürften die darstellerischen Fähigkeiten der Katzen sie sehr interessiert haben. In Anbetracht der klösterlichen Gepflogenheiten der damaligen Zeit wäre es nicht verwunderlich, wenn die Mönche in diesen Katzenzeichnungen eine religiöse Bedeutung erkannt hätten. Einer anderen These zufolge glaubten die Mönche, die intensive Atmosphäre der Frömmigkeit um sie herum habe die Katze zum Malen bewegt. Das bestätigte die Mönche in ihrem Glauben an die Reinheit ihres eigenen Geistes.

Rechts:
Miniatur aus einem mittelalterlichen Bestiariums um 950, 41 x 27 cm. Bodhead Library, Oxford. Diese Abbildung stellt zwei Katzen in einem Alchimistenlabor dar. Der Vogel im Käfig und der schlafende Hund – Beute und Feind der Katze – sollen in Gold verwandelt werden, dargestellt durch das große goldene Rechteck im Hintergrund. Später werden sie zu Monden, Symbolen für die geistige Kraft der Katze. Die Katze an der Staffelei hat Farbe aus einem der darunter stehenden kegelförmigen Behälter genommen und zeichnet wahrscheinlich einen Plan für die Methode, nach der die Verwandlung vor sich gehen soll. Solche Darstellungen von Katzen, die sich einem nicht ganz ungefährlichen Zeitvertreib widmen, führten zweifellos im englischen Sprachraum zu dem geflügelten Wort „Neugier bringt die Katze um" (Curiosity killed the cat). Eine weitere Illustration in derselben Handschrift zeigt eine Katze, die eine Ratte vor sich hält und deren Hinterbeine so fest zusammendrückt, daß ihr das Blut aus dem Maul schießt, damit sie die Ratte als Malpinsel benutzen kann.

Unten:
Gobelinkissen, um 1856, 36 x 46 cm. Sammlung Mary Morris, Ascot. In den vornehmen Salons des 19. Jahrhunderts ermunterte man Katzen dazu, Mehlspuren auf Samtkissen zu hinterlassen, aus denen dann wie aus dem Kaffeesatz die Zukunft gelesen wurde. Später wurden sogar Kissen eigens zu diesem Zweck hergestellt, verziert mit dazu passenden Stickereien, die malende Katzen zeigten. Der folgende Kindervers spielt ebenfalls auf diesen beliebten Zeitvertreib an:
Weiche weiße Tatzen schleichen
über schwarzen Samt und streichen:
Auf dem Kissen sieh die Spur,
das kann meine Katze nur.
Was kann der Kleckse Bedeutung sein?
Einer heißt „ja", und zwei heißt „nein".

Erst in der Mitte des 18. Jahrhunderts verfolgte man die Katze nicht mehr als Tier, das mit den Hexen im Bunde steht. Jetzt wurde sie zwar nicht mehr abgeschlachtet; aber dafür begann man ihr Markierungsverhalten nun ihrem neuen Status als Schoßtier entsprechend zu verniedlichen und zu banalisieren. Ein gewisser Dr. Johnson, selbst Katzenbesitzer, soll laut Boswell damals zu einer Dame gesagt haben, die sich erkühnte, den Kratzspuren einer Katze an einer Holztür Bedeutung beizumessen: „Madame, zeigen Sie mir auch nur ein einziges bedeutungsvolles Wort in diesen Kratzern, und ich werde eine ganze Enzyklopädie in dem wirren Durcheinander auf Ihrem Kopf entdecken!" Trotz der ein wenig boshaften Antwort Dr. Johnsons beweist diese Episode, daß man Katzenmarkierungen damals wahrnahm und daß manche Menschen sie als Kommunikationsform betrachteten.

Im frühen 19. Jahrhundert waren Katzen in den Salons vornehmer Damen sehr beliebt, und man ermutigte sie zu ihrem Markierungsverhalten, weil es den Damen zum Zeitvertreib diente. Man stellte den Katzen Schälchen mit Mehl hin, damit sie ihre Pfoten hineinsteckten, und „… dann machten sie Abdrücke auf einem schwarzen Samtkissen, aus denen Madame Sloan sehr geschickt und zu allgemeiner Erheiterung unsere Zukunft las".[1]

[1] Mrs. Stantiloup *in Dr. Wortle's Schule,* einem Roman von Anthony Trollope. *Blackwood's Magazine,* Juli 1880.

Ein weiterer Beweis dafür, daß die Menschen das Markierungsverhalten von
Katzen schon seit Jahrhunderten mit gespannter Aufmerksamkeit verfolgen, sind
die Abbildungen auf Tarock-Karten. Auf der Karte „Der Mond" schöpfen zwei
Katzen das goldene Wasser des Unbewußten, das Träume, übersinnliche Eindrücke, spirituelle Wahrnehmungen und Intuition symbolisiert. Mit diesem golde-
nen Wasser bemalen sie den Raum zwischen den Zwillingstürmen der Erleuch-
tung, durch die wir hindurchschreiten müssen, wenn wir geistige Fortschritte machen wollen. Sie malen Flammen in Form von Katzenaugen, die uns auf diesem
Weg leuchten sollen. Wer diese Karte zieht, verfügt über bedeutende künstlerische
Fähigkeiten. Umgedreht deutet diese Karte auf einen Möchtegern-Künstler hin.

Die Hohepriesterin ist als Tochter des Mondes dargestellt und bewacht das Tor
zum Übersinnlichen. Viele halten sie für die Göttin Diana, die die Gestalt einer
Katze angenommen hat. Den Spuren ihrer Pfoten wird die gleiche Bedeutung zugeschrieben wie menschlichen Symbolen. Ihre Pfotenspuren auf den Säulen der
Weisheit stellen Fragezeichen dar: der hochgebogene Schwanz mit einem Pfotenabdruck als Punkt darunter. Ihr Zeichen auf der Schriftrolle deutet auf schriftlich
überliefertes Wissen hin. Die Katzenpriesterin befiehlt uns mit diesem Fragezeichen, auf unsere innere Stimme zu hören, wenn wir die Pforte der Selbsterkennt-
nis durchschreiten wollen. Wer diese Karte zieht, in dem steckt eine tiefe litera-
rische Begabung, die irgendwann einmal zum Durchbruch kommen wird. Umgedreht deutet diese Karte darauf hin, daß der Betreffende nur den Wunsch hat, zu
schreiben, um dadurch Macht und kommerziellen Gewinn zu erlangen.

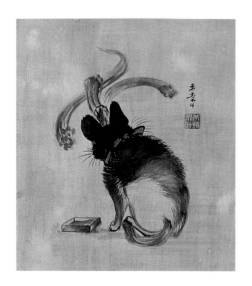

Mit dem Ende des 19. Jahrhunderts verlor die Katze ihre übersinnliche Bedeutung weitgehend; dafür weckte sie nun als Haustier das Interesse von Züchtern. Ihre zeichnerischen Fähigkeiten galten jetzt als Kuriosität, mit der man Geld verdienen konnte, und wurden nicht mehr aus seriösem künstlerischem Interesse studiert. 1893 verkaufte ein Gemischtwarenhändler in dem nordjapanischen Dorf Otaru Gemälde seiner Katze Otakki wegen ihrer oberflächlichen Ähnlichkeit mit japanischen Schriftzeichen. Aufgrund dieser Ähnlichkeit benutzte er die Gemälde auch zum Wahrsagen, um Kunden in seinen Laden zu locken. Berichte über Otakkis Fähigkeiten und den Reichtum, den sie ihrem Besitzer brachte, verbreiteten sich rasch im ganzen Land. Um die Jahrhundertwende galten Darstellungen der malenden Otakki überall als Sinnbild für gute Bedienung und wirtschaftlichen Erfolg. Noch heute findet man in den Schaufenstern vieler japanischer Geschäfte die Statue einer Katze mit zum Malen erhobener Pfote.

Die bekannteste malende Katze der Neuzeit aber war zweifellos die rothaarige Matissa, der Star in Mrs. Broadmores Show in den Chatsworth Gardens in den späten achtziger Jahren des 19. Jahrhunderts. Mrs. Broadmore war in Wirklichkeit ein ziemlich korpulenter Herr namens James Blackmun, der sein Geld früher als Athlet und Clown im Zirkus Barnum and Bailey verdient hatte. Er nahm den Namen Broadmore („Breitmehr") zum Spaß an, denn er konnte wirklich nicht noch breiter werden, als er schon war. Als Frau verkleidet, brachte er die Zuschauer in der Rolle einer dümmlichen Matrone aus besseren Kreisen zum Lachen. Wenn das Publikum eine ernsthafte Aufführung erwartet hatte, wie das Plakat (Seite 25) sie versprach, so war es doch offensichtlich nicht enttäuscht, statt dessen eine komische Nummer zu erleben, in der Mrs. Broadmore behauptete, die Zeichnungen der Katze seien in Wirklichkeit Porträts von Leuten aus dem Publikum.

Die Reporterin Florence Fenwick-Miller schrieb 1888 über diese Nummer: „Nachdem Mrs. Broadmore ihr Publikum ganze zehn Minuten lang mit Berichten über das schöpferische Talent von Katzen unterhalten hat, wird Matissa im weißen Malerkittel auf die Bühne getragen und auf einen großen Tisch mit Farben und einer kleinen Staffelei gesetzt. Mrs. Broadmore streichelt die Katze und fragt sie, welchen Zuschauer sie denn porträtieren möchte. Dabei neigt sie ihren Kopf tief zu Matissa hinunter. Plötzlich legt die Katze ihr die Vorderpfoten auf die Schulter. Es sieht so aus, als flüstere sie ihr etwas ins Ohr. ‚Ach, die Dame mit dem roten Hut da vorne! Ja, sie hat tatsächlich ein interessantes Gesicht!' ruft Mrs. Broadmore mit ihrer komischen tiefen Stimme. ‚Na schön, dann brauchst du wohl etwas rote Farbe, nicht wahr?' Kaum steht die rote Farbe vor ihr, fährt die Katze mit der Pfote hinein, stellt sich auf die Hinterbeine und malt ein paar Striche auf die Leinwand. Sehr zum Vergnügen der Menschenmenge begutachtet Mrs. Broadmore das Werk nun von allen Seiten und schaut zwischendurch immer wieder aufmerksam zu der armen Frau mit dem roten Hut hinüber, um zu prüfen, ob sie auch gut getroffen ist. ‚Ich glaube, die Nase stimmt noch nicht ganz', verkündet sie schließlich. Nach seiner Meinung gefragt, ergreift das Publikum natürlich die Partei der Katze, und am Ende der Vorstellung sind nicht wenige beeindruckt von dieser Katzenkunst und kaufen eines dieser ‚Pfotenporträts' für zwei Schillinge oder sogar noch einen höheren Preis."[1]

[1] *The Ladies Column, London Illustrated News,* 14. Juli 1888.

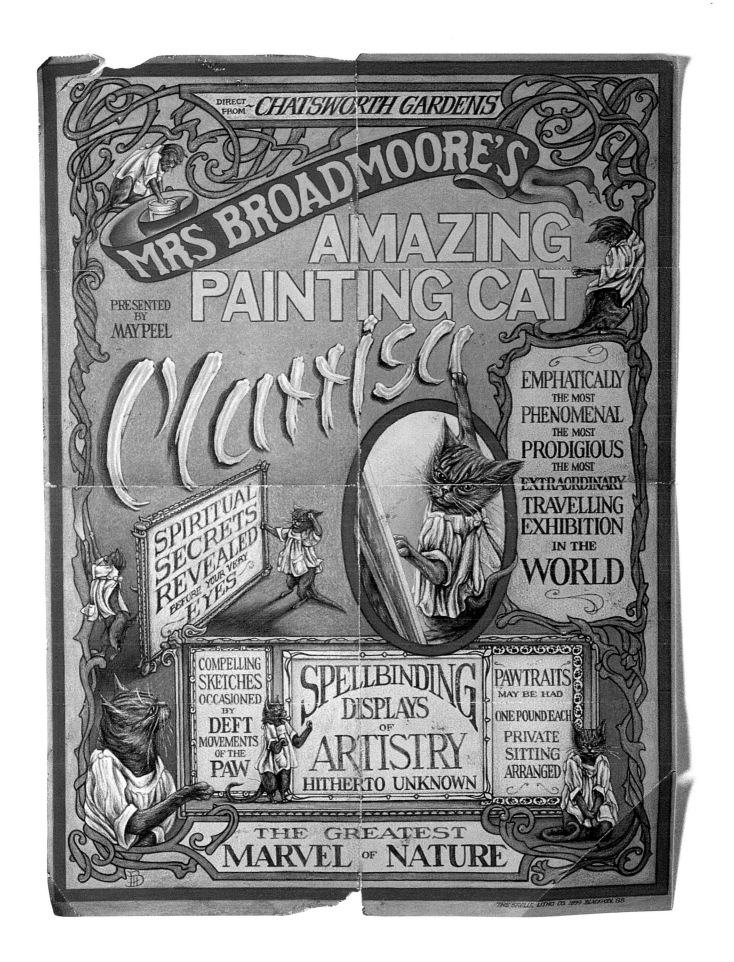

Oben:
Bonnie beim Bemalen einer Wand. Boston
1989. Wegen ihrer oft völlig selbstverges-
senen, hingebungsvollen Art zu malen haben
Biologen den Katzen die Fähigkeit zu echter,
bewußter Kreativität abgesprochen und die
Katzenkunst als „Ausdruck eines zwanghaften
Spieltriebs" und „zufällige Farbschmiererei,
die nichts bedeutet" diskriminiert.

Kapitel

2 Das Markierungs- verhalten bei Katzen

Die Verhaltensforschung tut sich mit der These schwer, daß Katzen aus ästhetischen Motiven malen. Statt dessen versuchte man dieses Phänomen entweder als instinktives Verhalten zur Reviermarkierung oder als spielerisches Abreagieren überschüssiger Energie zu erklären. Diese letzte Einschätzung führte zu Aussagen wie: „Die völlig selbstvergessene, hemmungslose Art und Weise, in der manche Katzen sich auf die Leinwand stürzen und Farben in alle Richtungen verspritzen, beweist, daß die ‚Katzenkunst‘ nur Ausdruck eines zwanghaften Spieltriebs ist. Die zufälligen Farbschmierereien, die dabei entstehen, haben nicht die geringste Bedeutung.“[1]

Wenn man diesen Gedanken konsequent weiterdenkt, dürfte man aber auch einen Großteil der modernen menschlichen Malerei nicht als Kunst anerkennen. Die Werke eines Jackson Pollock, eines Willem de Kooning und vieler anderer abstrakter Expressionisten könnte man aus ähnlichen Gründen ablehnen.

Schon ernsthafter ist der Ansatz jener Verhaltensforscher, die Katzenmarkierungen als Teil ihres Revierverhaltens betrachten. Sie verweisen darauf, daß Hauskatzen sich dabei nicht nur auf ihre Duftmarken aus Kot oder Urin beschränken, sondern ihre Gebietsansprüche zusätzlich auch noch markieren, indem sie mit der Pfote sorgfältig Linien ziehen, die von diesen Fäkalien ausgehen. Wir alle

Oben:
Katzen hinterlassen nicht nur Duftmarken, um ihr Revier zu kennzeichnen, sondern markieren es auch durch sorgfältige Linien, die wie Pfeile darauf hinweisen. Andere Katzen erkennen diese Zeichen auch dann noch, wenn sich der Geruch verflüchtigt hat.

Oben und rechts:
Die Erde, die dabei an ihren Pfoten hängenbleibt, benutzt die Katze, um noch deutlichere Reviermarkierungen an einem Baumstamm zu hinterlassen. Dieses vertikale Markierungsverhalten ist wahrscheinlich der biologische Ursprung der Katzenmalerei.

[1] M. Gimlet: *Die Mentalität der Katzen.* Referat auf dem XV. Internationalen Symposium *Kunst und Natur,* Oslo, 1988.

Oben:
Rexkatze Pinkle sortiert die magnetischen Buchstaben am Kühlschrank systematisch nach Farbgruppen. Man weiß nicht, ob Farben für Katzen eine spezielle Bedeutung haben. Aber ganz offensichtlich können sie Primärfarben unterscheiden, und einigen macht es offenbar Spaß, damit zu spielen. Versuche, solche Kompositionen aus Gebrauchsgegenständen mit Collagen und Skulpturen von Marcel Duchamp zu vergleichen, sind jedoch gescheitert.

Rechts:
Pinkle, *Rot nach oben*, 1992.
Plastikbuchstaben auf Kühlschranktür, 52 x 78 cm. Fotografische Sammlung des Museums für Nicht-Primaten-Kunst, Tokio. Nachdem Pinkle 45 Minuten lang sortiert hatte, vollendete sie ihr Werk, indem sie alle roten Buchstaben nach oben setzte. Es scheint sich hier um eine Tätigkeit zu handeln, die ihren Lohn ausschließlich in sich selbst trägt – also tierische Kunst als Selbstzweck im Sinne von Desmond Morris. Denn obwohl ihr Besitzer sie immer wieder dazu zu ermuntern versucht: Pinkle tut das ausschließlich dann, wenn sie es will. Hinter diesem Ordnen der Buchstaben nach Farben scheint kein anderer Beweggrund zu stecken als das rein ästhetische Vergnügen, das diese Tätigkeit ihr bereitet.

haben sicher schon einmal Gelegenheit gehabt, eine Katze dabei zu beobachten. Sie kratzen deutliche, lange Furchen in die Erde oder Katzenstreu, die wie ein Pfeil auf die Endprodukte ihrer Verdauung zeigen.

Diese Gebietsmarkierung können fremde Katzen auch dann noch gut erkennen, wenn der Geruch der Fäkalien sich schon längst verflüchtigt hat. Um diese Markierungen noch zu erweitern, bringen manche Katzen mit der Erde, die dabei an ihren Pfoten hängenbleibt, noch deutlicher sichtbare Zeichen an einer vertikalen Oberfläche an – zum Beispiel an einem Baumstamm oder an einer Mauer.

Viele Verhaltensforscher halten die Katzenmalerei lediglich für eine Erweiterung dieser instinktiven, vertikalen Markierungsaktivitäten. Wenn man sie nach den Gründen dafür fragt, bekommt man die Erklärung, daß Katzen dazu durch den Geruch der Ammoniaksalze angeregt werden, die Acrylfarben enthalten, damit sie schneller trocknen. Diese Ammoniaksalze riechen ähnlich wie Katzenurin. Diese Annahme ist sicherlich berechtigt; doch inzwischen scheinen Katzen hauptsächlich aus ästhetischen Motiven zu malen.

Was den ersten Anstoß für die künstlerischen Äußerungen von Katzen gegeben hat, werden wir wohl nie wirklich ergründen können. Aber es spricht doch vieles für die Annahme, daß sich dieses Markierungsverhalten bei Hauskatzen, die es kaum noch nötig haben, ihr Revier abzugrenzen, in einigen seltenen Fällen zu einer Aktivität weiterentwickelt hat, die – so Desmond Morris im Zusammenhang mit malenden Schimpansen – „ihren Lohn in sich selbst trägt". Solche Aktivitäten dienen keinem elementaren biologischen Ziel, sondern sind eher Selbstzweck. Sie sind normalerweise bei Tieren zu beobachten, die ihre Überlebensprobleme unter Kontrolle haben und bei denen ein Überschuß an nervöser Energie besteht, der anscheinend irgendwie ausgelebt werden muß."[1]

Hinter der Katzenmalerei scheint aber noch ein anderes Motiv zu stehen. In diesen Gemälden zeigt sich eine erstaunliche Fähigkeit, Formen und Strukturen wahrzunehmen und kreativ damit umzugehen. So wissen wir zum Beispiel, daß manche Hauskatzen offenbar Vergnügen daran finden, Gegenstände in verschiedenen Farben räumlich anzuordnen. 1992 veröffentlichte der *Guardian Weekly* einen Bericht über einen Kater in Seattle, der Gummibärchen nach Farben sortieren konnte.[2] Und in San Francisco verbrachte eine Rexkatze zwei Stunden damit, sorgfältig magnetische Buchstaben an einer Kühlschranktür nach Farben zu ordnen. Beide Tiere gehen völlig in dieser Beschäftigung auf, die keinen anderen Zweck zu haben scheint als das ästhetische Vergnügen.

[1] Desmond Morris: *The Biology of Art.* London, 1962.
[2] Ralph Whitlock: *Kater Hannibal sortiert Gummibärchen.* In: *Guardian Weekly,* 19. Juli 1992.

Daß manche Katzen zu gegenständlichen Darstellungen fähig sind, wurde erst
vor kurzem beinahe zufällig entdeckt. Wie bereits erwähnt, begann Arthur C. Mann
im Jahr 1982 das kreative Markierungsverhalten eines rothaarigen Katers namens
Orangello in Sussex zu untersuchen. Gegen Ende seiner Untersuchungen betrachtete er zufällig einige von Orangellos Gemälden verkehrt herum und entdeckte, daß
sie zum Teil eine recht deutliche Ähnlichkeit mit Gegenständen im Haus aufwie-
sen. Weitere Untersuchungen an einer weiblichen Katze überzeugten ihn im Jahr
1983 schließlich, daß manche Katzen tatsächlich zu ungefähren Darstellungen von
Gegenständen fähig sind. Aber aus unerfindlichen Gründen stellen sie die Dinge
dabei immer auf den Kopf. Leider starb Dr. Mann, bevor er seine Forschungen zu
diesem Thema abschließen konnte; doch obwohl er niemals eine befriedigende Erklärung für dieses Phänomen fand, prägte er dafür den Begriff „Invertismus".

Spätere Forschungsarbeiten von Dr. Peter Hansard mit „Ching Ching" in Cambridge (1987) und Dr. Delia Bird mit „Eliot" in Oxford (1990) haben Manns Thesen bestätigt, wenngleich sie zum Teil andere Erklärungen dafür fanden. Hansard
baut seinen Erklärungsansatz auf der Tatsache auf, daß Katzen ungefähr drei Prozent der Zeit, in der sie spielen und jagen, auf dem Rücken liegend verbringen
und dabei zwangsläufig alles verkehrt herum sehen. Durch Messungen der Erweiterung ihrer Pupillen konnte er nachweisen, daß Katzen sich in dieser Position in
einem Zustand stärkerer gefühlsmäßiger Erregung befinden. Seine Begründung:
„Die Katze nimmt das auf dem Kopf stehende Objekt als etwas Fremdes wahr,
das in ihr Revier eindringt. Später malt und markiert sie es, um es sich gleichsam
zu unterwerfen." Dabei „stellt sie zunächst das Objekt oder einen Teil davon in
der ungewohnten Form – das heißt, verkehrt herum – dar, um es dann mit der bekannten pfeilförmigen Reviermarkierung zu versehen, wie sie es auch bei ihren
Fäkalien tut. Damit erhebt die Katze Anspruch auf das ‚eingedrungene' Objekt
und ergreift Besitz davon, so daß es keine Bedrohung mehr für sie darstellt."[1]

Delia Bird dagegen ist eher der Ansicht, daß der Invertismus ästhetisch begrün-
det ist. Ihre Forschungen ergaben, daß die Gegenstände, die die Katze richtig herum betrachtet hat, in den späteren Zeichnungen der Katze ebenso häufig verkehrt
herum dargestellt sind wie andere Gegenstände, die auf dem Kopf stehend betrachtet wurden. Darüber hinaus stellte sie fest, daß man viele Linien, die Hansard als
Reviermarkierungen betrachtet, ebensogut als Teil des gemalten Objekts interpretieren könnte. Sie kommt zu dem Schluß, daß Katzen die Dinge möglicherweise
immer dann auf den Kopf stellen, wenn sie gegenständlich malen, „… um Form
und Struktur ihres Motivs aus einer neuen, unverbrauchten Perspektive zu erkunden und dabei abstrakte Gesichtspunkte hervorzuheben."[2]

Letztendlich konnte bisher keine dieser beiden Thesen bewiesen werden. Interessant ist aber doch, daß der bekannte deutsche Maler Georg Baselitz seine
Motive ebenfalls verkehrt herum malt und damit bewußt einen Gegensatz zu ge-
wohnten Sichtweisen sucht. Dies scheint für Delia Birds These zu sprechen.

Wir sind sicherlich nicht mehr weit von einer schlüssigen Theorie des Markie-
rungsverhaltens bei Katzen entfernt. Ein Stückchen näher ist sie bereits durch die
Arbeit von Dr. Peter Williams gerückt, der die Abteilung für angewandte Ästhetik
am Rudkin College in Dallas leitet.

[1] P. Hansard: *Funktionaler Invertismus beim Reviermarkierungsverhalten von Katzen.* In: *Zeitschrift für
Biometrie,* Heft IV, 1989.
[2] D. Bird: *Eliot. Versuch einer Ästhetik des Invertismus in der Katzenmalerei.* In: *Zeitschrift für Nicht-Primaten-
Kunst,* Heft IV, 1992.

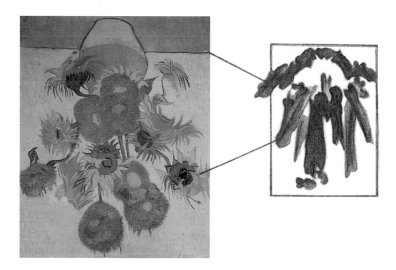

Oben und links:
Busters Version der *Sonnenblumen* von
Vincent van Gogh ist ein gutes Beispiel für
die Kunstrichtung des Invertismus. Wenn
man das Bild aus einer rein visuellen
Perspektive betrachtet, stellt die gebogene
braune Linie ganz oben deutlich die dunkle
Linie von Tischkante und Vasenboden dar,
wie die Abbildung links verdeutlicht. Die
blauen Linien hingegen sind die Blumen.
Verhaltensforscher sehen in diesen blauen
Zeichen jedoch Reviermarkierungen, die eine
ähnliche Funktion haben wie die pfeilförmigen Kratzspuren, mit denen Katzen auf
ihre Fäkalien hinweisen. Im Gemälde
signalisieren diese Zeichen einen Besitzanspruch auf das auf den Kopf gestellte Motiv.

Oben:
Katzen zeigen eine deutliche Vorliebe für
Gemälde von Goghs. Man führt das unter
anderem darauf zurück, daß sie sich von
dem spontanen, kräftigen Pinselstrich des
Künstlers angesprochen fühlen.

Oben rechts:
Anscheinend regen Felder geringer
elektromagnetischer Spannung Katzen zum
Malen an. Peter Williams hat diese Felder
„harmonische Resonanzpunkte" genannt.
Obwohl van Goghs *Sonnenblumen* ganz in
der Nähe hingen, wurde dieser Harlekin-
Kater wahrscheinlich sehr viel mehr durch
eine Schwingungsresonanz inspiriert als
durch das Kunstwerk des Holländers, zu
dem seine Malerei übrigens auch kaum eine
Beziehung hat.

Interessante Beweise für ein ästhetisches Empfinden bei Katzen ergab eine
Reihe von Versuchen, die er 1987 durchführte. Er wollte feststellen, inwieweit
Hauskatzen eine Vorliebe für bestimmte menschliche Kunstwerke an den Tag le-
gen. Dabei ergab sich, daß Katzen ein besonderes Interesse an Bildern von van
Gogh zeigen. Vielleicht besteht zwischen ihrem Malstil und den spontanen, wir-
belnden Pinselstrichen des holländischen Künstlers eine enge Verwandtschaft.
Daher hängte Williams vier Van-Gogh-Poster an die Wand, und zwar so tief, daß
die Katzen sie mühelos betrachten konnten. Sechs Wochen lang notierte er sich
genau, wie lange jede Katze vor jedem einzelnen Bild saß. Das Ergebnis war erstaunlich: Alle drei Katzen, zwei Siamesinnen und ein Harlekin-Kater, verbrachten 83,3 Prozent der Zeit, die sie aufrecht saßen, vor van Goghs *Sonnenblumen*
und starrten sie fasziniert an. Um ganz sicherzugehen, tauschte Williams die Bilder aus. Nun verbrachten die Katzen 81 Prozent ihrer Zeit vor dem *Nachtcafé*!
Wieder hängte er nach sechs Wochen die Bilder um und stellte fest, daß jetzt die
Kirche von Auvers am beliebtesten war. Was ging da vor?

„In experimentellen Situationen", schrieb Williams später, „ist man manchmal
so besessen von seiner Hypothese, daß man auf die naheliegendsten Erklärungen
gar nicht kommt. Ich hätte viel früher erkennen müssen, daß weder die Bilder
noch ihre Position etwas mit dem Verhalten der Katzen zu tun hatten. In Wirklichkeit saßen die Tiere einfach aus irgendeinem Grund besonders gern an einem bestimmten Platz im Zimmer, unabhängig von dem Bild, das zufällig dort hing."
Auch die Art, wie sie vor dem Bild saßen, erweckte den Eindruck, als hätten sie
Freude daran: „Sie saßen mit halbgeschlossenen Augen da, schnurrten und wieg-
ten ihren Oberkörper manchmal leicht vor und zurück, als sei das Bild vor ihnen
einer der herrlichsten Anblicke der Welt – was van Goghsche Gemälde für uns
Menschen ja auch tatsächlich sind."[1]

Ein Schüler von Williams verfolgte die täglichen Wege von zehn Katzen mit
Hilfe kleiner Funksender und fand heraus, daß vier der Tiere ganz bestimmte
Lieblingsplätze hatten, wobei Wärme, Geruch oder Revieransprüche kaum eine

[1] Interview mit dem Autor dieses Buches, Dallas, 1988.

Oben:
Maxwell, *Blaue Blumen*, 1991. Textilfarbe auf
gelbem Karton, 48 x 72 cm. Vermutlich ließ
Maxwell sich zu diesem Bild durch van Goghs
berühmte *Schwertlilien* anregen. Ein Druck
von diesem Bild hängt über dem Bett der
Besitzerin, wo der Kater jede Nacht schläft.

Oben:
Die typische Haltung einer Katze, wenn sie
an einem harmonischen Resonanzpunkt
sitzt. Die Augen sind halb geschlossen,
meist schnurrt die Katze auch und wiegt
sich sanft vor und zurück. Fast alle
malenden Katzen verbringen mindestens
zehn Minuten an einem solchen Punkt, ehe
sie mit einem neuen Werk beginnen. Das
läßt darauf schließen, daß sie irgendeine
Inspiration aus diesen unsichtbaren
Niedrigfrequenz-Energiefeldern beziehen.

Rolle spielten. Die Katzen machen hier einfach halt, bleiben gleichsam mitten im Nirgendwo sitzen und fangen an zu schnurren, als sei ihnen gerade eine höchst erfreuliche Idee gekommen. Das Faszinierende daran war: Genau zu diesem Zeitpunkt – und nur dann – wurden kleine Mengen niedrigfrequenter elektrischer Ströme von den kleinen Sendern registriert, die die Katzen trugen.

Allem Anschein nach sind Katzen fähig, solche geringen, örtlich begrenzten Spannungsfelder oder Meridiane wahrzunehmen und sich für ihre künstlerischen Aktivitäten zunutze zu machen. Peter Williams bezeichnet diese Orte als „harmonische Resonanzpunkte" und meint, daß sie bei der Motivation der Katzen zum Malen eine wichtige Rolle spielen könnten. Es scheint wohl so zu sein, denn inzwischen haben vier weitere Forschungsarbeiten unabhängig voneinander bestätigt, daß von den wenigen Katzen, die malen, fast alle lange Zeit an solchen Resonanzpunkten sitzen, ehe sie ans Werk gehen.

Zwar weiß man bisher nicht, warum das so ist – aber die Katze scheint eine gewisse Kraft aus diesen Feldern zu beziehen. Sicherlich gibt es Katzen, meist junge und unerfahrene, die ahnungslos in ein solches Energiefeld hineinstolpern und dann plötzlich von einer so überwältigenden Energie durchströmt werden, daß sie wie verrückt durch die Gegend rasen.

Möglicherweise lenkt die Katze diese Energie durch ihr Schnurren in die gewünschten Bahnen, oder sie imitiert damit die Schwingung des harmonischen Resonanzpunkts, was ihr eine Art Ersatzbefriedigung verschafft. Bis jetzt sind das alles nur Vermutungen. Aber die harmonischen Resonanzpunkte könnten sehr wohl der Schlüssel zu einer Erklärung dafür sein, wie ästhetische Reaktionen bei Katzen zustande kommen. Inspiriert diese Energie die Katzen zum Malen, oder stellen sie diese Kraft in ihren Gemälden lediglich dar? Und was vielleicht noch wichtiger ist: Liegt es womöglich an der Einwirkung sich kreuzender Ley-Linien, daß wir Dinge auf eine ganz bestimmte Art und Weise wahrnehmen und den Wunsch verspüren, sie zu malen? Vielleicht können wir noch viel über menschliche Kunst lernen, indem wir die Kunst von Katzen studieren.

Rechts:
Die Tatsache, daß Katzen mehr Zeit in menschlicher Gesellschaft verbringen als unter ihresgleichen, läßt darauf schließen, daß es gewisse Züge in der Katzenmentalität gibt, die den höheren Ebenen der menschlichen Psyche entsprechen.

3 Zwölf bedeutende Katzenkünstler

Dieses Buch soll als Nachschlagewerk und Einführung in die zeitgenössische Katzenmalerei dienen. Deshalb beschränken wir uns darauf, hier nur diejenigen Katzenkünstler vorzustellen, die unserer Ansicht nach die Moderne am besten repräsentieren. Natürlich erhebt diese Darstellung keinen Anspruch auf Vollständigkeit; manche Leser werden vielleicht überrascht sein, daß einige Katzen, deren Werk in jüngster Zeit Aufsehen erregt hat, sich nicht darunter befinden. Meist haben wir solche Künstler deshalb nicht berücksichtigt, weil sie ihre Bekanntheit ungewöhnlichen Techniken oder Arbeitsweisen verdanken, die nicht repräsentativ für eine bestimmte Kunst- oder Stilrichtung sind.

Momentan ist die Zahl der bekannten malenden Katzen noch sehr klein. Die meisten von ihnen leben in Großstädten, deren Bevölkerungsstruktur die Voraussetzungen für die Gründung von Katzenkunst-Gesellschaften bietet. Das Interesse an Katzenkunst wächst jedoch immer mehr, vor allem in erst kürzlich zu künstlerischer Freiheit erwachten Gebieten wie Osteuropa, Rußland und China. Das wird dazu führen, daß immer mehr Katzenkünstler mit innovativen, revolutionären Stilen und Ausdrucksformen auf die internationale Kunstszene drängen. Auch deshalb können wir nicht den Anspruch erheben, daß die hier vorgestellten Kunstwerke international repräsentativ für die Katzenmalerei sind. Sie stellen vielmehr das Werk einer kleinen Elite vor, deren Arbeiten in den westlichen Kulturländern derzeit als bahnbrechend gelten.

Fast alle hier vorgestellten Werke haben entweder vom Besitzer der Katze oder von ihrem Betreuer einen Titel erhalten, und zwar aus einem ganz einfachen Grund: Schon dadurch, daß man ein Bild in einen teuren Rahmen steckt und es in eine Galerie hängt, erhält es einen gewissen Wert. Ebenso kann der Titel auf eine künstlerische Absicht verweisen und dazu beitragen, daß das Bild ernst genommen wird. Sicherlich stellen wir ein Katzengemälde dadurch, daß wir ihm einen Titel geben, in einen Kontext, in dem ästhetische Werturteile überhaupt erst möglich werden. Ein Titel wie *Mieze und ihre Jungen* zum Beispiel suggeriert wahrscheinlich ein anderes Wertniveau als *Mütterliche Vorkehrungen* oder *Koitale Konsequenzen Nr. 4*. Außerdem bieten Titel, so willkürlich sie auch erscheinen mögen, einen ersten Anhaltspunkt und eine Ausgangsbasis für unsere Entdeckungsreise. Ohne sie liefen wir Gefahr, Katzenmalerei auf das gleiche Niveau zu stellen wie die oft nur dekorativen Schmierereien eines Graffiti-Sprayers an irgendeiner Mauer.

WONG WONG UND LU LU

Ein Maler-Duo

Wer Wong Wong und Lu Lu heute zusammen arbeiten sieht, kann kaum glauben, daß ihre erste Begegnung von gegenseitiger Feindseligkeit geprägt war. Lu Lu (Luigi Vibratini Paletti), ein männlicher Balinese, hatte sich bereits als führender italienischer Katzenmaler etabliert, als die geschmeidige, acht Jahre jüngere Siamesin Wong Wong in eine benachbarte Villa einzog. Bei ihrem ersten Treffen auf Lu Lus Landsitz in Sansovino bei Bologna war Lu Lus Besitzerin Sofia di Baci zugegen. Lu Lu war ganz vertieft in seine Arbeit an dem großen *Wandgemälde in Weiß*. Inspiriert hatte ihn dazu ein unglücklicher Zwischenfall, bei dem eine Reihe von Milchflaschen umgefallen war.

Da schlenderte Wong Wong aus einem Gebüsch herüber, von wo aus sie ihn beobachtet hatte, und fügte seelenruhig einige anmutige Pfotenstriche ohne Farbe hinzu – als ob sie ihr Leben lang nichts anderes getan hätte. Daraufhin kam es zu einer Auseinandersetzung, aus der Wong Wong als die deutlich Unterlegene (und sehr viel Weißere) hervorging. Doch nach einigen Wochen begannen Wong Wongs beharrliche Versuche, ihm zu helfen, Lu Lu offensichtlich zu beeindrucken. Schließlich akzeptierte er sie als Partnerin beim Malen.

Ihre ersten gemeinsamen Arbeiten, *Frühstück für Hunde* und *Schnurrende Kugeln* (beide 1990), hatten noch keine klare Linie. Mit über fünf Meter Länge (auf beiden Seiten eines Fiat-Tempra-Kombiwagens angelegt) waren diese Wandgemälde vielleicht einfach zu monumental. Ihnen fehlte die Spontaneität, und Lu Lus geschickte Pfotenstriche wurden oft von Wong Wong zerstört, die ohne jeden Zusammenhang bedeutungslose, dilettantisch ausgeführte Motive hineinmalte. Das verlieh diesen Werken zwar eine gewisse elegante Leichtigkeit, verwässerte jedoch die künstlerische Aussage. Weit überlegen ist diesen Wandgemälden ihr späteres Werk *Wonglu* (1992). Bereits der Titel drückt eine tiefere, innigere Beziehung zwischen den beiden Künstlern aus und deutet an, daß sie sich in langen, zermürbenden ästhetischen Diskussionen schließlich über ihr Ziel einig geworden waren.

Während der Arbeit an diesem Triptychon hielt Wong Wong immer wieder inne und rieb sich an Lu Lu. Ihre Besitzerin ist sicher, daß sie das nicht nur tat, um die Nähe des älteren, erfahreneren Malers zu spüren, sondern auch, weil sie den Fortschritt des Werkes mit ihm auf einer Art spiritueller Ebene teilen wollte. Das drückt sich auch in der großen weißen Figur aus, die nach den Worten der Kritikerin Donna Malane „das Werk vollständig beherrscht und aus der eine starke gegenseitige Zuneigung spricht. Dem ‚Geben' am unteren offenen Ende des weißen Motivs steht eine Bewegung zum ‚Nehmen' hin in der oberen Bildhälfte

gegenüber. Die schweren, ein wenig negativen Vertikalen auf dem linken Flügel spiegeln diese geschwungene Linie wider, aber der Kreis ist enger, weniger offen, egoistischer – die negative Seite einer Arbeitsgemeinschaft?"

Lu Lu, der die größere Reichweite hatte, fügte weiße Streifen und Tupfer am oberen Ende des beherrschenden Motivs hinzu. Dazu sagt Donna Malane: „Diese Aktionslinien verleihen dem Ganzen einen Eindruck von Bewegung, der auf eine dynamische Beziehung hindeutet." Lu Lu setzte sich zufrieden hin und wartete, bis Wong Wong zwei Tafeln mit ihren gewohnt schwungvollen Pfotenstrichen beendet hatte, um dann selbst noch zahlreiche helle, kleine, aber sehr differenzierte Tupfer anzubringen. Nach Malane haben diese Ergänzungen „einen versöhnlichen Effekt; sie gleichen die Mißklänge aus, die durch die widersprüchlichen Botschaften auf den ersten beiden Tafeln entstanden sind".[1]

[1] D. Malane: Ausstellungskatalog, New York. (Ian Wordly gesteht in derselben Publikation dem weißen Zentralmotiv ebenfalls starke emotionale Qualitäten zu, vertritt aber die Ansicht, daß es sich dabei wohl um das Symbol eines Schwanzes handle, was die Lebendigkeit der Beziehung zwischen den beiden Katzen betone.)

Unten:
Wong Wong und Lu Lu posieren vor ihrem *Wonglu*-Triptychon. Dieses Werk wurde 1993 auf einer Auktion für 19 000 Dollar verkauft – einer der höchsten Preise, die jemals für Katzenkunst gezahlt wurde.

In *Reise mit den Augen* (1992), gemalt in fünf Tagen auf einen braunen Bretterzaun, finden die Stile der beiden Katzen endgültig zueinander. „Die fein gemaserte, körnige Oberfläche des gestrichenen Holzes reflektiert das Licht in spinnwebfeinen Streifen. So entsteht ein Mikrokosmos seidener Fäden, in dem man sofort den Glanz von Wong Wongs prächtigem braunem Fell wiedererkennt. Die schmalen Lücken zwischen den breiten Brettern symbolisieren Defizite in der Erfahrung und Zusammenarbeit der beiden Katzen. Doch diese geringfügigen Diskrepanzen werden in einem Triumph fröhlicher Farben und Formen überbrückt, die in einem überschäumenden Tanz harmonischer Wonne und Wiedervereinigung von Brett zu Brett fließen. Was einst zerstört war, wird wieder heil.“[1]

Die meisten neueren Werke der beiden strahlen diese Romantik und Innovationsfreude aus. *Reise mit den Augen* weckt mit seinen freien, großzügigen Farbsprüngen quer über den Zaun Assoziationen der Erneuerung und Erfüllung. Das jüngste Bild der beiden mit dem Titel *Im Galopp* zeichnet sich durch die gleiche Mischung von Energie und stimmungsvoller Romantik aus; die Anklänge an Kandinskys *Romantische Landschaft*, wo Katzen auf Pferden durch den Schnee reiten, sind unverkennbar.

In den letzten Jahren haben Wong Wong und Lu Lu eine enge Beziehung zu zwei Pferden entwickelt, dem zwölfjährigen, dunkelbraunen Wallach Alessandro und der vierjährigen, hellgrauen Stute Lolita. Die vier verbindet eine Beziehung, die symbiotisch und ästhetisch zugleich ist. Frühmorgens, wenn es noch kalt ist, wagen sich die Katzen manchmal hinaus auf die Weide und springen auf den einladend breiten Rücken der friedlich grasenden Pferde. Da sitzen sie dann und genießen die Körperwärme. An milden Nachmittagen unternehmen sie oft ausgedehnte Ritte durch die Hügel, wo sie von hoch oben einen weiten Blick über das Land haben und neue harmonische Resonanzpunkte entdecken können. Jede Katze hat „ihr“ Pferd, zu dem sie auch farblich paßt: Wong Wong zu Alessandro, Lu Lu zu Lolita, Braun zu Braun und Creme zu Creme, immer ein weibliches Tier mit einem männlichen und ein junges mit einem alten.

Aber natürlich herrscht auch hier nicht immer nur Harmonie. Manchmal werden auch subtile Machtkämpfe ausgetragen. Das hohe Pferd zu reiten und sich dabei seine Katzenwürde und Unabhängigkeit zu bewahren, ist ein ständiger Balanceakt. Und auch das Pferd hat seinen Stolz zu wahren. Es entscheidet, wer auf seinem Rücken sitzen darf und wer nicht. Jeder hat seine Position, die er energisch verteidigt. Dieses Gleichgewicht der Mächte ist empfindlich; die Beziehung ist beglückend und beunruhigend zugleich. Dementsprechend intensiv und manchmal erstaunlich tiefgründig wirken die Gemälde, die aus dieser Beziehung heraus entstanden sind.

Zu dieser Werkgruppe gehört *Im Galopp*, das die beiden Katzen 1993 auf einen grünen Wellblechzaun malten. „Das gleichmäßig gewellte Eisenblech hat seine eigene Topographie und verleiht dem Gemälde eine ganz eigentümliche Räumlichkeit. Die Wellen und Rinnen erinnern an die Hügel in der Umgebung – sanfte, helle Kuppen und weiche, flache Täler. Überdies verleiht die gleichmäßige Wellenform des Blechs dem Bild einen Rhythmus, der dem leichten, regelmäßigen Hufschlag galoppierender Pferde entspricht.

[1] L. Hamilton: *Ein italienisches Künstlerduo findet neue Wege*. In: *Zeitschrift für angewandte Ästhetik*, Heft IV, 1993.

Nächste Doppelseite:
Im Sommer verbringen Wong Wong und Lu Lu manchmal mehrere Stunden am Tag auf dem Rücken ihrer Pferde Alessandro und Lolita. In dieser Höhe sind die Resonanzen ausgeglichener, die Katzen werden weniger von harmonischer Energie überflutet als zu ebener Erde. Deshalb malen sie oft nach dem Ausritt.

Links:
Wong Wong und Lu Lu bei der Arbeit an *Reise mit den Augen* (1992). Parfümierte Acrylfarben auf gebeiztem Holz, 974 x 87 cm. Privatsammlung, Bologna.

Unten:
Diese Skizze ohne Farbe für *Im Galopp* fertigte Lu Lu drei Tage an, bevor er mit der Arbeit an dem Wandbild begann. Damit signalisieren Katzen ihren Besitzern, daß sie malen wollen, so daß diese ihnen rechtzeitig Farben zur Verfügung stellen können.

Links:
Ein Pinselstrich, der den erfahrenen Meister
verrät: Lu Lu hat hier die wesentlichsten
Elemente eines fliegenden Schmetterlings
mit ein paar raschen Pfotenhieben erfaßt. Das
Tagpfauenauge (links) ist von der Ähnlichkeit
dieser Abbildung so fasziniert, daß es sie eine
Weile umkreist.

Sicher nicht zufällig wecken die tiefen Schatten der Wellblechrinnen Assoziationen an wohlgeformte, kräftige Muskeln: starke, kühn schattierte Beine, die im
Boden verankert sind – ein Element, von dem ein tröstliches Gefühl der Sicherheit
und Stabilität ausgeht. Auf diese Oberfläche, die Raum für viele Interpretationen
läßt, wurde das Bild in großzügigen, schwungvollen und doch gleichmäßigen
Strichen gemalt. So entsteht ein Eindruck temperamentvoller Bewegung, sorglosen Vorwärtspreschens: Katzen und Pferde in einer Symphonie fröhlicher, ener-
giegeladener Kapriolen, die uns mitreißen und an dem Ritt teilhaben lassen."[1]

[1] David Downes: Ausstellungskatalog, 1993. Der vollständige Text dieser Kritik wurde erstmals 1993 im
Katalog der Mailänder *Esposizione dell'Arte Felino* abgedruckt. Downes beschäftigt sich darin eingehend mit
der Frage, welche Rolle dem Gemälde *Im Galopp* bei der Schaffung eines dynamischen Zusammenspiels
zwischen Katzen und Pferden im Kontext des Transexpressionismus zukommt.

Oben:
Pepper (1979–1993) ein Jahr vor seinem
Tod zu Hause in Manhattan.

PEPPER

Ein Meister der Porträtkunst

Pepper kam im Herbst 1979 auf einer kleinen Farm bei West Town im Bundesstaat New York zur Welt. Er war der einzige Kater in einem Wurf von sechs Jungen, ein Umstand, der in ihm zweifellos einen frühreifen Sinn für die eigene Einmaligkeit weckte. Hinzu kam, daß er bei der Geburt einen Nabelbruch erlitt und daher ständiger Betreuung bedurfte. Auch das hob ihn deutlich von seinen Geschwistern ab. Schon im zarten Alter von fünf Wochen zeigte er eine Neigung zum Einzelgänger, verbrachte viel Zeit in selbstversunkener Betrachtung seines Spiegelbilds auf dem Fensterbrett und begnügte sich meist lieber damit, seinen herumtobenden Schwestern zuzuschauen, als selbst mitzuspielen. Sein Vater ist unbekannt; von seiner Mutter weiß man, daß sie zwar keine künstlerischen Fähigkeiten entwickelte, aber stets sehr gewissenhaft in ihrer Katzenstreu markierte. Anscheinend hat Pepper seinen sehr bewußten Stil von ihr geerbt. Doch erst der

Rechts:
Pepper betrachtete sich bis zu zwei Stunden
lang eingehend im Spiegel, ehe er mit
einem Selbstporträt begann.

46

Umzug der Familie Bacarella in die geräumige Stadtwohnung in Manhattan mit den vielen großen Fenstern und breiten Fensterbrettern förderte die tiefe Faszination, die der Kater bei der Betrachtung seines eigenen Spiegelbilds an den Tag legte. Sein erstes Werk – eine eigenwillige Komposition mit Feuchtigkeitscreme auf dem Spiegel eines Toilettentischs – vollendete er 1981. Es hatte noch keine klare Form – vielleicht, weil die Flecken, die er auf das Spiegelglas tupfte, ein Bestandteil seines Spiegelbildes waren und ohne dieses wenig Sinn ergaben. Spätere Experimente mit Gesichtspuder, Rouge und verschiedenen Nachtcremes überzeugten seine Besitzerin von der Notwendigkeit, ihm geeignete Acrylfarben zu kaufen. Und tatsächlich malte Pepper im Laufe der nächsten zehn Jahre über 200 Porträts, bis er sich schließlich 1991 zur Ruhe setzte.

Fast alle seine Bilder waren Selbstporträts. Und fast immer saß er bis zu zwei Stunden vor dem Spiegel und betrachtete sich eingehend darin, ehe er zu malen begann. Dann arbeitete er langsam und bedächtig. Man hatte immer den Eindruck, daß das Malen eine nachdenkliche Ehrfurcht in ihm weckte   als sei er selbst überwältigt von der ungeheuren Aussagekraft seiner Pfotenstriche. Deshalb dauerte es immer sehr lange, bis er sich dazu entschließen konnte, ein Werk zu vollenden. Tagelang setzte er sich immer wieder davor, betrachtete das

Unten:
Pepper bei der Arbeit an *Reflexionen Nr. 54*, 1988. Acryl auf Karton, 72 x 48 cm. Privatsammlung. „Pepper setzt sich in seinen Werken stets in Beziehung zu einem größeren Zusammenhang. Er steht dabei eindeutig in der Tradition des egozentrischen Selbstporträts. An diesem Bild nimmt den Betrachter auf Anhieb die liebevoll ins Detail gehende Darstellung seiner Tigerstreifen gefangen. Pepper verzichtet jedoch bewußt darauf, das ganze kunstvoll verschlungene Labyrinth seiner Fellzeichnung wiederzugeben, und beschränkt sich streng auf das Wesentliche."
T. Pott: Ausstellungskatalog,
New York 1990.

Gemälde kritisch und brachte hier und da noch ergänzende kleine Kleckse und
Linien an.

Erst 1987 begann Pepper Interesse an der silbern gestromten Perserkatze
Venus zu zeigen, mit der er die Wohnung teilte. Dann aber entwickelte er eine so
stürmische Begeisterung für sie, als habe er sie nie zuvor gesehen. Stundenlang
saß er laut schnurrend in ihrer Nähe, bis sie schließlich eine der genüßlich hinge-
rekelten Rückenpositionen einnahm, die ihn so inspirierten. Dann begann Pepper
sofort zu malen. Jetzt gab es für ihn keine Pause mehr. Mit raschen und kraftvollen, fast ein wenig gehetzt wirkenden Strichen hielt er seine Impressionen fest, als

Venus in einer ihrer komplizierten Selbstent-
blößungspositionen. Manchmal verharrte sie
bis zu 15 Minuten lang in einer solchen Pose.

Rechts:
Selbstentblößung Nr. 14, 1988. Acryl auf
Karton, 72 x 48 cm. Privatsammlung.
Pepper hat das Wesentliche an der
hingebungsvollen Pose von Venus
meisterhaft erfaßt. Wir erkennen sofort die
genüßlich ausgestreckten Beine, die in
ihrem Ausdruck von Hingabe und
Optimismus an Susan Rothenbergs Bild
Maggie's Cartwheel (1981) erinnern.

sei Eile geboten, um diesen Augenblick in all seinen subtilen atmosphärischen
Nuancen zu erfassen. (Oft war das auch tatsächlich der Fall, weil Venus sich nie
lange konzentrieren konnte und bei schwierigeren Positionen manchmal ein-
schlief.)

Das hohe künstlerische Niveau der Venus-Serie hat Pepper später nie wieder
erreicht. Im Winter 1991 verkrümmte eine Arthritis die herrlichen Beine von
Venus und raubte Peppers Kunst die Muse. Nach dem Tod seiner Freundin hörte
er ganz auf zu malen.

Links:
Tiger (Jahrgang 1984) in seinem Garten in
Königstein bei Frankfurt.

TIGER

Der spontane Reduktionist

Das erste, was dem Betrachter an Tigers Werk auffällt, ist seine ungewöhnliche
Dichte. Die Vielfalt der Farben, die komplizierte Linienführung und die ständig
wechselnden Strichwinkel bringen Gemälde hervor, die unter den Werken zeit-
genössischer Künstlerkatzen einmalig sind. Seine Besitzerin Elfie Henkel entdeckte Tigers Fähigkeit, interessante, ungewöhnliche Farbkompositionen zu
schaffen, 1985 im Garten ihres Königsteiner Anwesens. Zuerst empfand sie die
Neigung des Kätzchens, abgefallene Blüten oder Blätter zu kleinen Häufchen zu-
sammenzuscharren, lediglich als etwas ungewöhnlich. Selbst daß Tiger manchmal
eine Blume im Maul vom anderen Ende des Gartens holte und auf einen solchen

Elektrische Ströme, 1992. Acryl und
Kleister auf zerkratztem Satin, 64 x 47 cm.
Sammlung Dr. Philip Wood, Berkeley. Da
Tiger hier auf Satin malte, entsprach das
Ergebnis nicht seinen reduktionistischen
Intentionen. Ein Großteil des Gemäldes
behielt trotz etlicher Kratzer seine
ursprüngliche Form. Das verstimmte Tiger
offensichtlich sehr. Schon früher hatte er
manchmal monatelang gekränkt und
entmutigt zu malen aufgehört, wenn seine
Besitzerin einen ihrer gutgemeinten, aber
völlig an seiner Intention vorbeigehenden
Versuche unternahm, seine Werke zu
„retten".

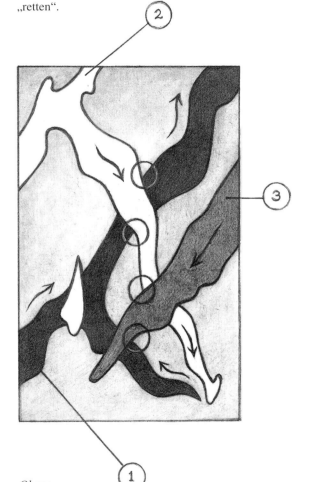

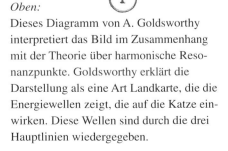

Oben:

Dieses Diagramm von A. Goldsworthy
interpretiert das Bild im Zusammenhang
mit der Theorie über harmonische Resonanzpunkte. Goldsworthy erklärt die
Darstellung als eine Art Landkarte, die die
Energiewellen zeigt, die auf die Katze ein-
wirken. Diese Wellen sind durch die drei
Hauptlinien wiedergegeben.

Haufen legte, obwohl es jede Menge davon ganz in der Nähe gab, kam Frau Henkel noch nicht sehr merkwürdig vor. „Es hätte mir gleich klar sein müssen", sagte
sie später in einem Interview, „aber weil er gern mitten in diese kleinen Haufen
hineinsprang und sie zerstörte, kaum daß sie fertig waren, fiel mir erst nach einem
Monat auf, daß die Haufen immer aus gleichfarbigen Blüten bestanden! Fünf oder
sechs rote Kamelien lagen zusammen, und daneben nur weiße."

Interessant an den jüngsten Arbeiten von Tiger ist vor allem, daß er das gleiche katzentypische Vergnügen, das er an der Zerstörung seiner Blumenhäufchen fand, nun auch bei den meisten seiner fertigen Bilder an den Tag legt. Das ist aber beileibe keine Rückkehr zum jugendlichen Spieltrieb; Tigers Destruktion scheint vielmehr eine „Reduktion" zu sein, der eine ernste Absicht zugrunde liegt – und wahrscheinlich immer schon zugrunde lag. Im Gegensatz zu anderen deutschen Reduktionisten und Neo-Reduktionisten wie Puschelchen in Stuttgart und Mieze in Köln, die bereits ein reduziertes Bild auf die Leinwand bringen, reduziert Tiger

Oben und unten:
Mit temperamentvollem Schwung verteilt Tiger seine Farben über die drei Papierflächen. Seine raschen, rhythmischen Pfotenhiebe erzeugen eine Struktur von erstaunlicher Komplexität. Anschließend entfernt er die Blätter, so daß große leere Flächen zum Vorschein kommen – ein negativer Raum, in den er dann sein Schlußmotiv malt.

Unten:
Das vollendete Bild *Frühstück,* 1991. Acryl und Kreidepulver auf Karton und Wand, 184 x 86 cm. Privatsammlung. Hier spürt man sofort eine tiefe Traurigkeit, als sei etwas Leichtes, Schwebendes plötzlich verschwunden und groben, indifferenten Farbschmierereien gewichen, die von Habgier und Zerstörung künden.

erst sein vollendetes Werk auf das Wesentliche seiner äußeren Form. Für ihn ist Kunst nicht Nachahmung der Realität, sondern durch Reduktion enthüllte Realität. Daher gehören seine Bilder zu den umstrittensten Katzenkunstwerken überhaupt. Wir Menschen sind unwillkürlich fasziniert von der herrlichen Komplexität der Farben und Formen; doch zugleich verwundert, ja irritiert uns Tigers unerwartete Zerstörung seines eigenen Werks. Statt uns über die tiefere Bedeutung dieser ungewöhnlichen künstlerischen Vorgehensweise Gedanken zu machen, schlägt Dr. David Hinds der Autor des Buches *Psychologie der Katzenwahrnehmung* (Berkeley 1993), vor, „uns die konzentrierte Sichtweise der Katze zu eigen zu machen und unverwandt auf die leere Fläche zu starren, die entsteht, nachdem die Katze ihr Gemälde seines Zentrums beraubt hat. Dann dringen allmählich die diesen leeren Raum einrahmenden Farbflecken in unser peripheres Gesichtsfeld, und wir gewinnen vielleicht einen ersten Einblick in die Art, wie Katzen die Realität wahrnehmen."

MISTY

Die formale Expansionistin

Misty wurde hauptsächlich durch den bildhaften, symbolträchtigen Charakter
ihrer Werke bekannt. Die eleganten, zweifarbigen Motive von bis zu zehn Meter
Länge wecken eine Vielfalt an Assoziationen und fordern unterschiedliche Interpretationen geradezu heraus. Bei ihrem neueren Bild *Kleiner Sprung aus Übermut*
ist die Oberfläche über und über mit kurzen, schwarzen Vertikalen bedeckt, die eine längliche, gewundene Form voller Dynamik ergeben. Die Spannung sammelt
sich unten, baut sich nach oben hin auf und strömt in den ovalen oberen Teil über,

Oben links:
Mit raschen Strichen legt Misty zuerst die rosafarbenen Spannungsbereiche an.

Oben Mitte:
Die Aktionsstruktur des Gemäldes besteht aus dichtgedrängten schwarzen, senkrechten Linien, die eine Reihe miteinander verbundener Kurven bilden.

Oben rechts:
Misty bestand darauf, daß ihr Frauchen ihr einen Hocker an diese Stelle rückte, damit sie die obere Kurve zu ihrer Zufriedenheit fertigstellen konnte. Viele von Mistys Bildern reichen über die Leinwand hinaus, einige beziehen sogar den Fußboden mit ein.

wo sie sich wieder abbaut (oder jäh abbricht?). Das Faszinierende an dieser Arbeit ist neben ihrer offenkundigen technischen Brillanz ihre starke Symbolik. Verbunden mit einer gewissen Unsicherheit im Hinblick auf den Kontext regt sie zu vielen verschiedenen Deutungen an.

Mistys Besitzerin Zenia Woolf neigt zu der Ansicht, daß dieses Bild sich mit einem Vorfall auseinandersetzt, bei dem ihr vierjähriger Sohn Misty vom Balkon aus absichtlich mit einem Gartenschlauch naßgespritzt hat. Für Mrs. Woolf stellen die rosafarbenen Motive eindeutig den gekrümmten Rücken einer Katze dar, die sich mit raschen Sätzen vor einer Gefahr in Sicherheit bringt. Die langen schwarzen Striche dagegen geben das Wasser wieder, das von oben auf die Katze herniederprasselt. Mrs. Woolf ist überzeugt: Die Katze wußte, daß ihr Werk nicht verstanden werden würde, wenn es sich auf den Karton begrenzte. Als Misty die Wand nicht mehr weiter bemalen konnte, weil sie nicht so hoch hinaufreichte, miaute sie so lange, bis ihre Besitzerin ihr einen Hocker hinstellte. In den Augen der Besitzerin beabsichtigte Misty mit ihrem Gemälde, den erschreckenden Vorfall so klar wie möglich darzustellen und das Kind möglichst von weiteren Quälereien abzuhalten.

Michael Dover von der Orion Art Gallery in North York, Toronto, neigt jedoch eher zu einer anderen Deutung. Er findet, daß man es sich zu leichtmacht, wenn man traumatische Ereignisse aus dem Leben der Katze in dieses Werk hineininterpretiert. Mit Recht weist er darauf hin, daß Misty in der Woche, bevor sie das Bild fertigstellte, mit ihrer Familie nach Port Credit gefahren war. Auf der Rückfahrt zog der Sohn der Woolfs Misty am Schwanz. Sollten wir uns deshalb in Mutmaßungen über die Tatsache ergehen, daß die Form des Gemäldes fast genau den Verlauf der Küstenstrecke zwischen Port Credit und Toronto wiedergibt? Ganz sicher haben Katzen einen außergewöhnlichen Orientierungssinn. Dennoch ist es unwahrscheinlich, daß Misty die Küstenlinie auch aus der Vogelperspektive kennt – es sei denn, sie wäre die Strecke auch schon einmal geflogen.

Dover sucht deshalb lieber nach einem funktionelleren Zugang zu diesem Werk. Seiner Ansicht nach stellt das Bild wichtige Aspekte der Strategie einer Katze beim Springen dar. Die gekrümmten schwarzen Linien beschreiben den Sprung selbst. Die Darstellung beginnt mit der Kauerstellung einer Katze, die zum Sprung in die rechte Bildhälfte ansetzt. Der rosafarbene Bildteil stellt – auf einige wenige, aussagekräftige Pfotenhiebe reduziert – die Landung der Katze dar.

Die Kunstkritikerin Emma Way interpretiert das Werk ähnlich, in ihren Augen allerdings springt die Katze in die andere Richtung – von oben nach unten –, und die rosafarbenen Motive stellen die kritischen Absprungpunkte dar, die über Erfolg oder Mißerfolg der Aktion entscheiden. Andere Kritiker sehen darin einen nach rechts springenden Saurier, wieder andere ein Eichhörnchen, das von rechts nach links hüpft. Letztendlich können wir niemals hundertprozentig sicher sein, was Misty wirklich gemeint hat. Aber das ist auch nicht das eigentlich Entscheidende. Viel wichtiger ist, daß wir niemals aufhören, uns Gedanken darüber zu machen und unsere Deutungen zu hinterfragen: Durch die suggestive Vieldeutigkeit ihres Werks regt die Künstlerin uns bewußt zu immer neuen Interpretationsansätzen an.

Unten:
Kleiner Sprung aus Übermut, 1993. Acrylfarben auf Karton und Wand, 120 x 170 cm. North York, Toronto. Mistys Bilder werden vor allem wegen ihrer starken und zugleich vieldeutigen Symbolik geschätzt, die zu sehr unterschiedlichen Auslegungen anregt. Die Faszination dieser Art von Katzenkunst liegt gerade in ihrer Unverständlichkeit, die den Betrachter herausfordert und neugierig macht.

Oben:
Minnie (Minnie Monet Manet, geboren 1984) meditiert oft stundenlang in den Weinbergen, ehe sie mit der Arbeit an einem neuen Bild beginnt. Enttäuscht über schlechte Kritiken im Jahr 1988, malte sie zwei Jahre lang nicht. Nach dieser langen Phase der künstlerischen Neubesinnung hat sie nun wieder zu ihrer alten Produktivität zurückgefunden: Es entsteht fast jede Woche ein neues Werk.

MINNIE
Die abstrakte Expressionistin

Als Minnie die Großstadt Lyon verließ und in einen kleinen Weinberg bei Aix-en-Provence umzog, veränderte sich ihr Malstil von Grund auf, was sich auch in besseren Kritiken widerspiegelte. Noch 1988 hatte Paul Seuphor für eines ihrer Gemälde mit dem Titel *Drei blinde Mäuse*, das in der Lyoner Galerie Félin ausgestellt war, nur abfällige Worte gefunden: „Drei langweilige einfarbige Striche, von denen einzelne Tröpfchen zu dick aufgetragener Farbe herunterlaufen, stellen offensichtlich blinde Mäuse dar. Das Bild wird seinem Titel zumindest insofern gerecht, als die Mäuse keine Augen haben. Sie haben auch keine Ohren, keine Beine, keine Schnurrhaare – nichts außer Schwänzen. Das allein wäre noch nicht einmal das schlimmste. Aber es liegt einfach kein Leben, keine Bewegung in diesen Gestalten."[1]

Zum Vergleich zitieren wir die Kritik, die Minnie drei Jahre später für eine Ausstellung ihrer Bilder in Arles bekam: „Ihr Werk ist von einer euphorischen Leuchtkraft, die eine geheimnisvolle Offenbarung verheißt... Ihr Reichtum an Farben und Formen läßt uns einen Blick in die innere Realität der Katzenwahrnehmung werfen."[2] Ohne Zweifel haben das milde Klima und die üppige, farbenprächtige Vegetation der Provence Minnie ebenso geprägt wie die Begegnung mit einem silbern gefleckten ägyptischen Mau-Kurzhaarkater namens Pierre (Pierre Miayler), der inzwischen ihr Lebensgefährte ist. Pierre selbst malt nicht; aber er hat es auch nicht nötig, denn ein Gemälde eines ihrer Jungen wurde kürzlich in Japan für die stattliche Summe von 20 000 Dollar verkauft (doppelt soviel, wie Minnies Bilder in der Regel einbringen).

[1] Paul Seuphor: *Patte-pelue.* Ausstellungskatalog, Lyon, 1988.
[2] Henri Du Mombrison: *La joie au cœur.* Ausstellungskatalog, Arles, 1991.

Links:
Minnie malt mit ungeheurer Geschwindigkeit und großer Energie. Sie gönnt sich kaum eine Pause, um ihr Werk zu betrachten. An ihren Bildern bestechen vor allem die ungewöhnlichen, in leuchtenden Farben gehaltenen Horizontalen. Minnies künstlerisches Temperament läßt sich nicht in konventionelle Bahnen zwängen; die Linien drängen in überschäumender und doch subtil ausgewogener Energie über die Leinwand hinaus.

Unten:
Rentier in der Provence, 1992. Acryl auf vergoldetem Karton und schwarzer Wand, 120 x 180 cm. Im Besitz der Künstlerin.

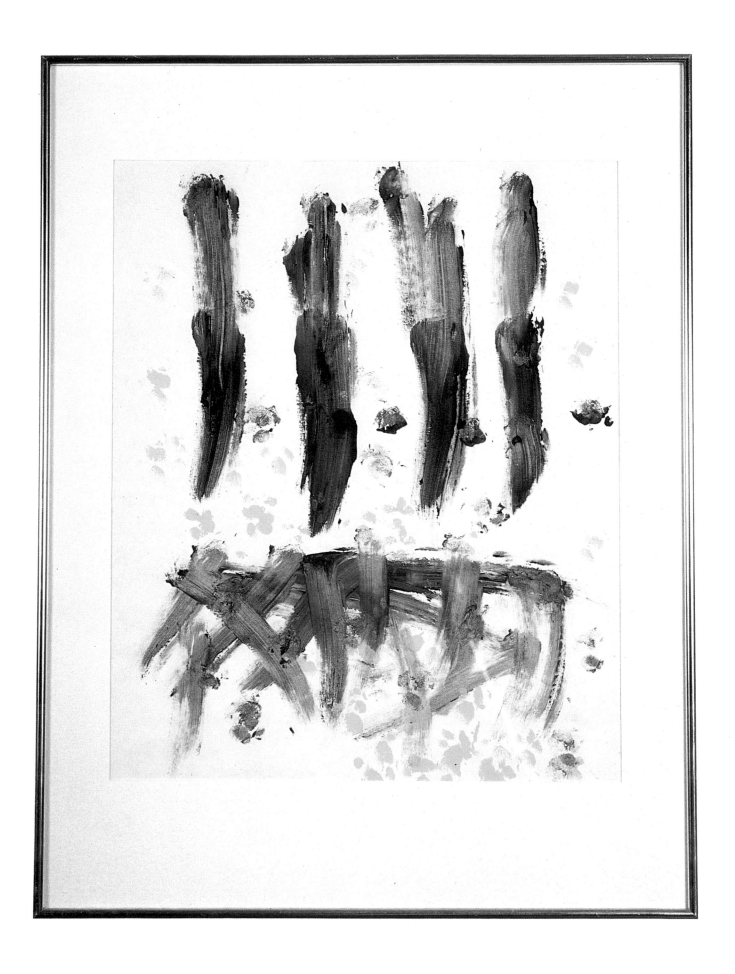

60

SMOKEY

Der romantische Ruralist

Katzen sind außer Menschen die einzigen Lebewesen, die regelmäßig Drogen nehmen, um ihre ästhetische Wahrnehmung zu steigern. Smokey stellt in dieser Hinsicht keine Ausnahme dar. Er malt stets in einem abgeschiedenen Teil des Gartens und verbringt vorher stets eine gute Stunde am Katzenminze-Beet. Das erklärt nicht nur die langsame, fast ein wenig schwerfällig wirkende Art, in der er malt, sondern auch sein bemerkenswert tiefes Empfinden für Landschaften. Aber wahrscheinlich könnte sich keine Katze mit einer künstlerischen Ader, die wie Smokey in der landschaftlichen Pracht der neuseeländischen Südinsel lebt, dem Reiz des klaren Lichts und der fast erdrückenden Schönheit dieser Umgebung entziehen.

Smokey erfüllt seine bukolischen Motive nicht nur mit romantischen Elementen, sondern verleiht den Geschöpfen der Natur, die er porträtiert, auch eine unnachahmliche Würde. Aus seinen Werken spricht eine Ehrfurcht vor der Natur, wie sie in unserer Zeit sehr selten geworden ist. Besonders deutlich zeigt sich das bei einem seiner bekanntesten Bilder: *Meditation in Blau und Gelb*. Der Kritiker Bevan Island schreibt darüber: „Das erste, was an diesem Werk ins Auge sticht, ist seine bestechende Ausgewogenheit, seine offenkundige Symmetrie. Erst später er-

Links:
Meditation in Blau und Gelb, 1992. Acryl auf Sperrholz, 73 x 62 cm. McGillicuddy Art Gallery, Christchurch, Neuseeland. Diese Studie eines Schafbocks hatte ursprünglich vom Besitzer des Katers den Titel *Schafskälte* erhalten. Später wurde der Titel vom Kustos des Museums geändert.

Unten:
Obwohl Smokey (geboren 1987) vor dem Malen regelmäßig Katzenminze *(Nepeta cataria)* frißt, zeigen sich in seiner Arbeit keine erkennbaren psychedelischen Elemente. Der Genuß dieses Krauts scheint eher die harmonische Resonanzwirkung zu steigern, die bei der Stimulation der Katzenkreativität eine so wichtige Rolle spielt.

Oben:
Beide Fotos zeigen Smokey in seinem Garten in Nelson auf der neuseeländischen Südinsel bei der Vollendung seines Werks *Meditation in Blau und Gelb.* Diese Studie von Rodney, einem fünfzehnjährigen Schafbock, erregte in der Presse großes Aufsehen, als die McGillicuddy Gallery in Christchurch das Bild im Jahr 1993 mit öffentlichen Mitteln für 6000 Dollar ankaufte.

kennen wir den Schafbock, der über die blühende Wiese läuft; doch dann sind wir geradezu überwältigt von dem Eindruck dynamischer Bewegung. Wir sehen die sich bewegenden Schafsbeine aus einer verwirrenden Vielfalt von Perspektiven inmitten einer Landschaft, die in flimmernde Lichtreflexe getaucht ist. Die Löwenzahnblüten scheinen unter dem Aufprall der Hufe zu explodieren (oder zu implodieren?). Eine leicht aggressive Note erhält das Gemälde durch die vier drohenden Hufe, die die obere Bildhälfte beherrschen."[1]

Dies ist eines von Smokeys umstrittensten Bildern. Manche Kunstkritiker lehnen Interpretationen wie die von Bevan Island kategorisch ab. Dieter McLeavey beispielsweise argumentiert zu Recht: „Man kann alle möglichen Behauptungen über ein Kunstwerk aufstellen, wenn man nur einen geeigneten Kontext dafür findet! Wenn ich behaupte, daß Mona Lisa den Geist ihrer toten Katze anlächelt, werden Sie sicherlich bald die Astralgestalt des Tieres dicht unter Mona Lisas Schulter entdecken und erstaunt darüber sein, daß Sie sie nicht schon viel früher bemerkt haben. Könnte man aus der Tatsache, daß van Gogh einmal eine Katze erschossen hat, nicht schließen, daß das Gebilde in der linken unteren Ecke der *Sternennacht* eine Katze darstellt, die sich traurig die Augen reibt? Und was bedeutet die schnekkenähnlich zusammengerollte Katze im *Schwimmbad* von Matisse? Erscheint sie Ihnen nicht in einem ganz neuen Licht, wenn ich Ihnen verrate, daß Matisse einmal einen Sack voller junger Katzen ertränkt hat?"[2] McLeavey trifft den Nagel auf den Kopf: Zwar spricht vieles für den Versuch einer immanenten Interpretation des Kunstwerks, doch wird dadurch die Aussage des Werks oft allzusehr eingeschränkt. Wir berauben uns der Erfahrungen, die nur eine spontane, ja bisweilen auch naive Entdeckungsreise in die innere Welt des Kunstwerks uns schenken kann.

[1] Bevan Island: *Meditation in Blau und Gelb – eine Landschaft aus der Katzenperspektive.* In: *Christchurch Examiner,* 1993.
[2] Dieter McLeavey: *Das Schaf in der zeitgenössischen Katzenmalerei.* In: *Journal of Australian Art,* Heft I, 1994.

Oben:
Smokey legt letzte Hand an das Bild *Elegie in Ringelblumengelb Nr. 17*. Er arbeitet stets in einem abgeschiedenen Teil des Gartens und zeigt seinem Besitzer an, wohin er ihm Leinwand und Farben bringen soll, indem er die gewünschte Stelle ausgiebig mit Urin markiert.

Links:
Elegie in Ringelblumengelb Nr. 17, 1991. Parfümierte Acrylpaste auf Papier, 64 x 48 cm. Sammlung David McGill, Wellington, Neuseeland.

GINGER

Die Neo-Synthetikerin

Obwohl Ginger bei ihren Reviermarkierungen schon frühzeitig eine große ästhetische Sensibilität zeigte, begann sie erst nach ihrem vierten Lebensjahr zu malen, und auch das nur, weil ihre Besitzer Colin und Mary McCahon aus Manchester sie behutsam dazu ermunterten. Ginger hatte schon immer die Tapeten auf eine Art zerkratzt, die auf ein ausgeprägtes Verständnis für Struktur schließen ließ, zeigte aber anfangs noch kein Interesse an anderen künstlerischen Ausdrucksmöglichkeiten. Erst nachdem Colin McCahon ihr immer wieder vorgeführt hatte, wie die feuchte Katzenstreu sich für Markierungen an der Wand nutzen läßt (womit er ihr bewies, daß das Malen lediglich eine Erweiterung des natürlichen Reviermarkierungsverhaltens von Katzen ist), fing Ginger an, das breite Angebot parfümierter Acrylfarben zu verwenden, das die McCahons ihr zur Verfügung stellten. Heute ist sie eine sehr produktive Künstlerin; sie malt fast jeden Tag und oft auch nachts. Wenn

ein Bild fertig ist, entfernen die Besitzer es nicht gleich, sondern lassen es zunächst als Bezugspunkt für das nächste an Ort und Stelle hängen. So entwickelt sie eine serielle Kunst, in der ein Bild auf dem anderen aufbaut. Auf der Suche nach dem modernen Gesamtkunstwerk bezieht Ginger alle Flächen in ihre Gemälde ein, die sich dazu anbieten: Fenster, Gardinen, Tische, Stühle – manchmal sogar einen Blumentopf. Um der Aussagekraft dieser Bilder gerecht zu werden, darf man sie nicht einzeln betrachten. Man muß an ihnen vorbeigehen und sie nacheinander auf sich wirken lassen wie die einzelnen Episoden einer Geschichte. Jedes Bild ist Teil eines größeren Zusammenhangs, in dem sich die Identität der Katzenpersönlichkeit Schritt für Schritt vor den Augen des Betrachters entfaltet.

PRINCESS

Die elementare Fragmentistin

Princess gehört zu der kleinen Gruppe der elementaren Fragmentisten. Diese Schule besteht hauptsächlich aus malenden Siam- und Rexkatzen, deren Arbeiten sich durch eine ausgeprägte Sparsamkeit in Linie und Form auszeichnen: Nur die wesentlichsten Elemente eines Fragments von einem Gegenstand werden wiedergegeben. Vielleicht ist diese Art von Katzenkunst am schwersten zu verstehen; in ihren Entwicklungsstadien kann man sie mitunter kaum erkennen. Princess malte schon zwei Jahre, ehe ihre Besitzer Agnes und Larry Martin in Elmhurst bei Chicago dahinterkamen, daß alle Elemente ihres heutigen Stils sich bereits in den ersten Kratzern zeigten, die sie als Jungtier an ihrer Katzentür anbrachte.

In ihren klassischen minimalistischen Werken geht Princess stets von einer genau festgelegten Anzahl senkrechter und schräger Striche (entweder im Verhältnis 3:2 oder 2:3) aus, und zwar in immer neuen Kombinationen, mit denen sich ein breites Themenspektrum erforschen läßt. Besonders deutlich zeigt sich das in ihrem Gemälde *Unter Tauben* (links), einem sehr frühen Kunstwerk an der Wohnzimmerwand. Der Kritiker Don Flavin schrieb darüber: „Es fängt in meisterhafter

Ganz links:
Unter Tauben, 1988. Krallenspuren auf gestrichener Preßspanplatte, 48 x 72 cm. Privatsammlung.

Links:
Princess (Princess Winklepaw Rothkoko, geboren 1986) experimentiert beim Malen oft mit Klängen. Die Flötenstimme mit einem Bossa-Nova-Rhythmus auf diesem Synthesizer gefällt ihr am besten.

Oben:
Princess arbeitet oft an zwei verschiedenen „Leinwänden". Auf der unteren legt sie eine vorbereitende Skizze des Werks an, das sie dann später oben ausführt. Meist vernichtet sie anschließend die untere Hälfte. Aber manchmal gefällt ihr am Ende die Skizze besser als das vollendete Werk. Dann reißt sie das obere Bild herunter.

Oben rechts:
Regelmäßig verspottete Nagetiere, 1993. Tusche auf Papier, 52 x 83 cm. Sammlung Patrick Hitchings, Melbourne. Alle Werke von Princess zeichnen sich durch eine beinahe totemhafte Schlichtheit und Beschränkung auf das Wesentliche aus.

Einfachheit die Grundelemente einer grauenvollen Szene ein: die letzte Fußspur eines gejagten Vogels, ehe der Jäger zupackt."[1]

Manche andere Werke sind nicht so einfach zu verstehen. *Regelmäßig verspottete Nagetiere* (oben) zum Beispiel wurde äußerst unterschiedlich interpretiert: als „sozial geächtete Ratten", als Detail der Malerrolle von Princess und – eine Deutung, die natürlich nicht ausbleiben konnte – auch als geheimnisvolles Symbol Schwarzer Magie.

Interessanter als jede Interpretation ist vielleicht die Frage, warum Princess diese Bilder malt. Mit ziemlicher Sicherheit entspringt ihre Kunst langen Phasen der Kontemplation, in denen sie darauf besteht, an einem ganz bestimmten Platz zu sitzen. Bedeutet das, daß Princess mit ihren elementaren Motiven die vielschichtigen Tiefen ihrer eigenen Reaktion auf die Kräfte der harmonischen Resonanzpunkte auslotet? Auch wenn ihre künstlerischen Intentionen oft im dunkeln

[1] Don Flavin: *Fünf Meister des Fragmentismus in der Katzenkunst.* Ausstellungskatalog, Seattle 1992.

bleiben, deutet doch alles darauf hin, daß hier äußere Kräfte verinnerlicht und in Chiffren von großer Bedeutungsdichte umgesetzt werden.

Warum reagiert sie gereizt und empfindlich, wenn irgend etwas im Zimmer umgestellt wird, bevor sie mit der Arbeit an einem neuen Werk beginnt? Liegt das daran, daß die täuschend einfachen Formen ihrer Bilder auf komplexe Resonanzeinflüsse zurückgehen? Auf Energieströmungen, deren Spannungen sich aus der Position der beweglichen Gegenstände im Zimmer ergeben?

Wir wissen es nicht. Ohne Zweifel zeichnet Princess als Katze und Malerin sich durch eine erstaunlich ausgeprägte Subjektivität aus. Aber es ist eine offene Subjektivität, eine Erfahrung, an der sie uns teilhaben läßt. Wenn sie sich nach einer besonders langen Schaffensperiode schnurrend an unseren Beinen reibt, werden wir den Eindruck nicht los, daß ihre einzigartige Interpretation der Welt auch für uns bestimmt ist.

Oben:
Sprünge, 1991. Verdünnte Tusche auf Papier, 64 x 84 cm. Museum für Nicht-Primaten-Kunst, Tokio. Princess' Darstellung des Terriers Boris konzentriert sich ganz auf den Anhänger an seinem Halsband. Die immer wiederkehrenden grünen Farbakzente inmitten der hellbraunen vertikalen Linien (die höchstwahrscheinlich das Hundefell darstellen) fangen höchst gekonnt die Stimmung der am Hundehals hin und her baumelnden Marke ein: die überschäumende Lebensfreude und dynamische Bewegung eines herumtollenden Hundes, auf einige wenige, ausdrucksstarke Pinselstriche reduziert.

Charlie

Der periphere Realist

Oben:
Charlie (geboren 1985) lebt in Sydney. Er malt ausschließlich auf den Kühlschrank, auf dessen glatter Oberfläche er die Farbe schnell verstreichen kann, so daß ein Eindruck spontaner Lebendigkeit entsteht.

Rechts:
Das Wilde in uns, 1991. Acryl auf Email, 63 x 101 cm. Im Besitz des Künstlers. Katzen setzen ihr peripheres Gesichtsfeld viel häufiger ein, als wir glauben. Das erklärt auch, warum sie manchmal plötzlich gespannt in eine Richtung blicken, in der es für uns überhaupt nichts Interessantes zu sehen gibt. Dabei nutzen sie ihre periphere Sicht, mit der sie Farben und Bewegungen exakter wahrnehmen können, und betrachten die Gegenstände von der Seite. (Welche Seite sie im Visier haben, erkennt man an ihrer Schwanzspitze: Sie zeigt immer in die entgegengesetzte Richtung.) Charlie hat soeben ein impressionistisches Werk vollendet, dessen Hauptmotiv ein Geschirrtuch ist, das er während des Malens von der Seite betrachtete.

Im Alter von sechs Monaten wurde Charlie (Charlie Erwin Schrödinger-Jones) aus Versehen für fünf Stunden in einen Kühlschrank gesperrt. Irgendwie scheint dieses Ereignis sein Leben verändert zu haben, denn er entwickelte sich daraufhin fast über Nacht zu einem äußerst produktiven Maler. Das ist an sich nichts Verwunderliches: Auch viele menschliche Künstler schreiben ihren plötzlichen Drang zu künstlerischem Schaffen einem erschütternden frühkindlichen Erlebnis zu. Auch van Gogh und Picasso litten unter einem vorpubertären klaustrophobischen Trauma. Vielleicht hat sich Charlie so auf das Bemalen der Kühlschranktür fixiert, weil er von ihr „bestraft" worden war, so wie Picassos frühkindliche Erfahrung „vielleicht der Grund für die Intensität ist, mit der er seine Angst vor Frauen in sein Werk hineinprojiziert", wie Robert Hughes treffend bemerkt.[1] Beide Künstler scheinen in ihren Werken einen Weg zu suchen, sich mit dem Gegenstand ihrer Frustration zu arrangieren, statt seine Existenz zu feiern. Zwar zeigen ihre Gemälde manchmal triumphale Anwandlungen, aber wenn da etwas gefeiert wird, so ist es die erfolgreiche Unterwerfung des Objekts und nicht das Objekt selbst.

Das bedeutet natürlich nicht, daß Charlies Werke nicht auch noch andere Gegenstände oder Zustände zum Thema hätten – ebensowenig, wie Picasso sich ausschließlich mit Themen auseinandersetzte, in denen er seine misogynen Tendenzen ausleben konnte. Fest steht jedoch, daß Charlie unabhängig vom Thema seines Werks ausschließlich auf die Kühlschranktür malt – die Ursache seines Traumas. Man könnte nun behaupten, daß er diese Fläche vielleicht einfach nur vorzieht, weil sie seiner Technik entgegenkommt. Die Spülmaschine oder die Küchenschränke haben aber genauso glatte Oberflächen. Eine andere Interpretation schlägt die Tierpsychologin Lyn Ng vom Institut für Tierästhetik an der Stanford University vor: Charlie markiert den Kühlschrank, weil er gefüttert werden möchte. Der Kühlschrank, in dem Charlies Essen aufgehoben wird, steht aber im Keller. Außerdem miaut er laut, wenn er Hunger hat, nicht jedoch, wenn er malt.

Am wahrscheinlichsten ist daher, daß Charlie mit dem Malen auf dem Kühlschrank entweder der Ursache seines Kindheitstraumas ein anderes, weniger bedrohliches Gesicht verleihen will (schließlich muß er mit dem Kühlschrank leben). Er „verkleidet" den Kühlschrank und entmachtet ihn auf diese Weise, ähnlich wie Picasso seine kubistischen Abstraktionen weiblicher Akte schuf. Oder Charlie versucht, das traumatische Objekt, das ihn irritiert, im Geiste zu „verschieben", indem er ein Motiv aus einem anderen Teil des Zimmers darauf malt. Wenn er den Kühlschrank dann aus seiner peripheren Sicht betrachtet, scheint er sich gleichsam fortbewegt zu haben, obwohl er in Wirklichkeit immer noch an Ort und Stelle steht.

Beides wäre für Charlie ein Weg, dieses beunruhigende Objekt seiner Kontrolle zu unterwerfen. Dies ist die bislang schlüssigste Erklärung dafür, warum er seine Werke stets nur auf die Kühlschranktür malt.

[1] Robert Hughes: *Traumatische frühkindliche Erlebnisse und ihre Auswirkungen auf das ästhetische Empfinden.* London 1991.

BOOTSIE

Der Transexpressionist

Bootsie wurde kastriert, verbrannte sich den Schwanz an der Heizung und wurde vorübergehend in eine Katzenpension gesteckt – und das alles innerhalb einer Woche Ende 1989. In derselben Woche zogen seine Besitzer um, und Bootsie wurde (vom Hund) dabei erwischt, wie er versuchte, beim Nachbarn einen halbgefrorenen Truthahn zu stehlen. Die meisten Katzen wären nach so einer Serie traumatischer Erlebnisse in eine depressive Phase gefallen – nicht so Bootsie. Der Kater blühte angesichts dieser Herausforderungen erst richtig auf. In der Katzenpension in Rolling Wood bei San Francisco gibt es ein Programm zur Förderung der Kreativität bei Katzen. Hier erhielt Bootsie erstmals Gelegenheit, zu malen. Er ergriff diese Chance sofort, und seitdem geht es mit seiner künstlerischen Karriere steil bergauf. In etwas mehr als vier Jahren bestritt er fünf Ausstellungen und verdiente insgesamt über 75 000 Dollar mit seinen Werken. Es ist eine reine Freude, Bootsie beim Malen zu beobachten. Sobald Staffelei und Farben auf dem Rasen stehen, ist jede Spur von katzentypischer gelangweilter Hochnäsigkeit bei ihm wie weggeblasen. Der Kater schlägt geradezu auf die Farben ein, als müsse er ihre vergängliche Dynamik einfangen, ehe sie sich ihm wieder entzieht. Kaum hat er die Farbe auf den Pfoten, springt er hoch, um sie auf die Leinwand zu bringen. Dabei scheint er kaum zu überlegen; er arbeitet in totaler Konzentration und mit kraftvollen, rhythmischen Strichen. Seine Arbeitsweise scheint darauf angelegt zu sein, die Bewegungen seines Körpers als schöpferische Kraft wirken und Form werden zu lassen. Offenkundig ist auch seine Intention, sich fallenzulassen, sich ganz in dem Werk zu verlieren. Bootsie hält sich nicht an einen bewußten Plan oder Entwurf, sondern läßt sich ganz vom Rhythmus der Pinsel- beziehungsweise Pfotenstriche leiten. Oft schnurrt er dabei (das tun viele Katzen, die sich beim Malen körperlich stark engagieren). Manchmal jault er die Leinwand auch drohend an, attackiert sie dann plötzlich mit einem schnellen Pfotenschlag und springt wieder zurück.

Die Vitalität und Bildhaftigkeit, die durch diese lebhafte Arbeitsweise entsteht, zeigt sich besonders deutlich in *Stunde der Papageien*. Der Kritiker Alfred Auty beschreibt dieses Bild als „ergreifenden Ausdruck des Zwiespalts in der Natur: der uralte Dualismus von Kampf und Flucht. Rot, Gelb und Blau, leicht schräge, leicht geschwungene Pinselstriche wechseln sich ab mit wohlüberlegt plazierten, ein wenig verwischten Pfotenabdrücken. So entsteht der Eindruck eines wilden Tanzes emporfliegender und in alle Himmelsrichtungen flatternder Federn, wilder Flügelschläge. Farbe! Licht! Leben! die Freiheit ist fast in Reichweite – aber nur fast, denn schon werden die überlagernden, negativen, schwarzen Linien immer dominanter: Begierige Pranken verfolgen die Vögel in eleganten Sätzen und verrichten ihr grausames Vernichtungswerk. Zarte weiße Wischer (flaumige Federn?) ziehen sich diagonal durchs Bild und zerstören bewußt seinen inneren Zusammenhalt.

Oben:
Stunde der Papageien, 1992. Acryl auf Karton, 75 x 72 cm. Sammlung Dr. Philip Wood, Berkeley.

Was bleibt, ist ein zitterndes Chaos. Dieses Bild ist so ausdrucksstark, weil hier einerseits deutlich eine Geschichte erzählt wird und der Betrachter sich andererseits eines beklemmenden Gefühls der Verwirrung nicht erwehren kann: Diese Geschichte verweigert sich jeder endgültigen Auflösung oder Interpretation."[1]

In einem Interview schilderte sein Besitzer, daß Bootsie „gern in der Wohnung herumspringt und überall Farben verschmiert, ohne sich allzu viele Gedanken über seine Arbeitsweise zu machen". Auty jedoch hat den Eindruck, „daß hinter dieser scheinbar sorglosen, ‚unseriösen' Methode ein tieferer Sinn steckt. Bootsie malt keine Lebenserfahrungen", erklärt er, „sondern den unmittelbar erlebten Rhythmus des Lebens, zum Beispiel sein Gespür für die einzigartige Energie an einem harmonischen Resonanzpunkt. Seine Bilder atmen das Gefühl einer intensiven ‚Simultaneität', gleichsam vorausgesehen und ausgeführt als eine perfekte Verbindung kinetischer Kräfte, die sich aus jeder noch so geringen Bewegung, jedem noch so leisen Gedanken herleiten."[2]

Bootsie gelingt diese gefühlsmäßige Integration in einem extravaganten, farbenprächtigen Stil, der von einer ganz eigentümlichen ruhelosen Getriebenheit geprägt ist, wie sie vor allem in vielen seiner neueren Arbeiten zum Ausdruck kommt. Die kontrapunktischen Schwarztöne aus *Stunde der Papageien* beispielsweise kehren in

Unten:
Bootsie in voller Aktion während der Arbeit an seinem Gemälde *Hände hoch, Herr Hahn!* Das Bild hat kürzlich bei einer Auktion 15 000 Dollar gebracht. Man beachte die Skizze für dieses Werk auf der Rückseite der Leinwand.

dem bekannten Bild *Der Hund und die Kakadus* (oben) wieder. Da versucht ein grüner Hund mit langgestreckter Schnauze auf einen kleinen Schwarm niedrig vorbeifliegender Kakadus (weiß) zu urinieren (gelb). Zwar ist die inhaltliche Aussage in *Stunde der Papageien* vielleicht ein wenig klarer und leichter zu interpretieren, aber dafür besticht das Gemälde *Der Hund und die Kakadus* durch seine subtile Andeutung hündischer Inkompetenz und seine Offenheit für die unterschiedlichsten Interpretationsansätze. Bootsies Bilder verweigern sich der Zuordnung zu einem bestimmten Stil. Aber die betonte Körperlichkeit der Gestik, die seine frühen Arbeiten beherrscht (und vielleicht einschränkt), macht in neuerer Zeit mehr und mehr einer subtileren, zurückhaltend-beherrschten Symbolik Platz, die seinen Bildern den schroffen, aggressiven Charakter nimmt. Offensichtlich kann Bootsie so seine Gefühle und Wahrnehmungen besser ausloten."

Oben:
Der Hund und die Kakadus, 1993. Acryl auf Karton und Gips, 110 x 95 cm. Sammlung Kraatzi, London. Bootsies Gemälde ist von einer erfrischenden Unmittelbarkeit, die den Betrachter die tiefe körperliche Beziehung des Künstlers zum Malen nachvollziehen läßt.

[1] Alfred Auty: *Der Sisyphosmythos in der Katzenkunst des Transexpressionismus.* Bericht für die Jahreskonferenz des *Centre de recherche dans les arts graphiques félins,* Paris 1993.
[2] *ebd.*

RUSTY

Der psychometrische Impressionist

In den Werken des psychometrischen Impressionismus spiegeln sich nicht bestimmte Gegenstände wider, sondern eher Situationen oder Orte, mit denen dieser Gegenstand früher einmal zu tun hatte. Ehe die Katze so ein Werk schafft, beschnüffelt und betastet sie den Gegenstand oder das Lebewesen, dessen psychometrische Eindrücke sie festhalten möchte, erst einmal eine ganze Weile und reibt sich daran, bevor sie zu malen beginnt. Aufgrund ihrer übersinnlichen Begabung sind Katzen in hohem Maße für diese Ausdrucksform geeignet. Der Abessinierkater Rusty aus Edinburgh ist zusammen mit Muscat aus Paris einer der führenden Vertreter dieser Kunstrichtung. Wie Muscat reagiert Rusty äußerst empfindlich auf Veränderungen in der statischen Elektrizität. Daher beschleichen ihn häufig Vorahnungen; oft ist er in der Lage, Ereignisse mit hoher Treffsicherheit vorauszusagen.

Oben:
Kürzlich fuhr das fünfjährige Kind des Katzenbesitzers mit seinem Fahrrad gegen einen Stein, überschlug sich und fiel ins Planschbecken. Schon zwei Wochen, bevor dieser Unfall geschah, hat Rusty ihn in seinem Gemälde in allen Details und Nuancen festgehalten.

Rechts:
Bei dieser auf dem Kopf stehenden psychometrischen Impression von einer russischen Puppe hat Rusty nachts Acrylpulver auf das Kondenswasser an der Fensterscheibe aufgetragen. Jetzt kratzt er vorsichtig die letzten Details in die getrocknete Farbschicht.

Die Wahl seiner künstlerischen Themen scheint bei Rusty davon abzuhängen, ob ein Gegenstand oder Ereignis für ihn eine besondere Bedeutung hat, auch wenn er diesen Gesichtspunkt dann seltsamerweise gar nicht in seinem Bild ausdrückt, sondern sich häufig auf ganz andere Aspekte konzentriert. In *Blauer Fahrrad-Blues* (Seite 76) wählte er als Thema zum Beispiel ein Fahrrad, mit dem ihm das Kind am Tag zuvor absichtlich über den Schwanz gefahren war. Das Bild stellt aber weder das Fahrrad noch dieses Ereignis dar, sondern einen Vorfall, den der Kater gar nicht miterlebt hat: nämlich wie sein Besitzer mit zwei großen Tüten voller Bierflaschen über das Fahrrad stolperte und das Rad aus Wut auf das Dach des Nachbarhauses warf, wo es unglücklicherweise die Fernsehantenne beschädigte. Wenn die australischen Nachbarn nicht zufällig gerade die Live-Übertragung eines Kricket-Spiels aus Sydney gesehen hätten, wäre dieses Bild vielleicht nie zustande gekommen. Denn dann hätten die Nachbarn das Fahrrad nicht wutentbrannt auf den eisernen Gartenzaun gespießt, wo Rusty es bei seiner Rückkehr vom Tierarzt zwangsläufig bemerken mußte. Ob ihn dieser Umstand nun veranlaßt hat, das Bild zu malen, ist nicht so wichtig. Viel bemerkenswerter ist die Tatsache, daß er das Fahrrad nie an der Antenne auf dem Dach gesehen hat, sich aber über eine Stunde lang nicht nur an dem Fahrrad, sondern auch an der Antenne rieb, bevor er zu malen begann.

Kapitel

4 Andere künstlerische Ausdrucksformen

Bis jetzt widmen sich nur sehr wenige Hauskatzen aktiv dem Malen – höchstens ein paar Hundert von schätzungsweise zweihundert Millionen Katzen, die zur Zeit mit Menschen zusammenleben. Es gibt jedoch viele Katzen, die mit anderen künstlerischen Ausdrucksformen experimentieren. Diese Darstellung, die ja einen umfassenden Überblick bieten möchte, wäre unvollständig, wenn sie nicht auch auf diese Kunstformen wenigstens am Rande einginge. Einige Katzen widmen sich neben der Malerei auch noch Formen der Prozeßkunst wie beispielsweise Skulpturen oder Kratzspuren. Meist jedoch sind diese Techniken lediglich die erste Stufe ihrer künstlerischen Entwicklung und werden nicht mehr weiterverfolgt, sobald die Katze erst einmal zu ihrem individuellen Malstil gefunden hat. Sicherlich fangen manche Katzen auch gleich zu malen an, ohne vorher erst mit diesen rudimentären Formen experimentiert zu haben. Aber häufig bilden sie doch den Einstieg und prägen die künftige künstlerische Entwicklung der Katze. Erst eine eingehende Untersuchung dieser ersten Versuche versetzt uns in die Lage, die künstlerische Aussage solcher Katzen bis zu ihren Ursprüngen zurückzuverfolgen. Vielleicht kommen wir dadurch sogar einer angemessenen Würdigung der Erstlingswerke menschlicher Künstler ein wenig näher.

Oben:
Der Kater Strontium mit seinem Werk *Durchgang*, 1990. Vom Kater für seine künstlerischen Aktivitäten in Besitz genommene Couch, 56 x 33 x 42 cm. Sammlung Heather Busch, Neuseeland. Einer Interpretation zufolge wurde hier ein Gesicht als Reviermarkierung dargestellt: (1) Augen, (2) Nase, (3) Vorderbeine.

Links:
Kater Maxwell mit seinem noch unvollendeten Werk *Gerty.* Geschickt nutzt er den offenen Raum zwischen dem gelosten Brokatsaum und dem Polster, um einen geöffneten Mund anzudeuten. Die kunstvolle Krallenarbeit an der Ecke darüber weist subtile Anklänge an eine nasse Nase auf, in der sich das Licht widerspiegelt. Zwei senkrechte Fäden, die vom Unterkiefer hängen, lassen an Speichelfäden denken, die von den Lefzen eines Bernhardiners tropfen: Es besteht kaum ein Zweifel daran, daß das Werk die Bernhardinerhündin Gertrude darstellt, mit der Maxwell sein Zuhause teilt.

Rechts:
Erläuternde Zeichnung von R.A. Scull, 1993.

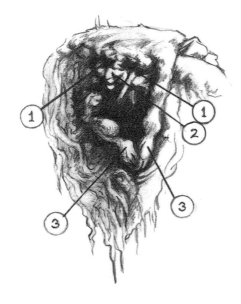

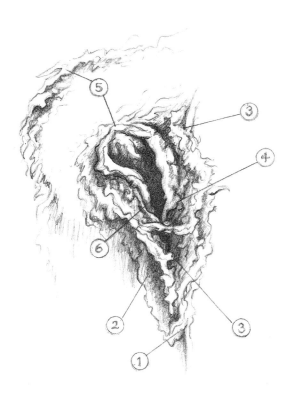

Die seit der Jahrhundertwende in unserer Inneneinrichtung herrschende Vorliebe für Polstermöbel hat die Entwicklung der Katzenästhetik tiefgreifend geprägt. Im Gegensatz zu losen Materialien wie Vorhängen, Tischtüchern etc. ist der Bezug bei Polstermöbeln straff gespannt und wird durch hölzerne Rahmen gehalten. So kann die Katze ihn allmählich über einen langen Zeitraum hinweg abtragen, ohne die Kontrolle über den künstlerischen Prozeß zu verlieren. Eine Katze, die einen Baumstamm markiert, hinterläßt Kratzspuren, die durch wiederholte Bearbeitung allmählich tiefer und breiter werden, nicht aber komplexer. Bei der Markierung eines Polstermöbelstücks hingegen sieht die Katze sehr bald, wie ihr fortgesetztes Kratzen den Stoff in seine Bestandteile auflöst. Den künstlerischen Prozeß, der daraufhin einsetzt, hat Egon Lübel in seinem Buch *Biologie der Katzenkunst* folgendermaßen beschrieben: „Aus der dünnen, senkrechten Markierung

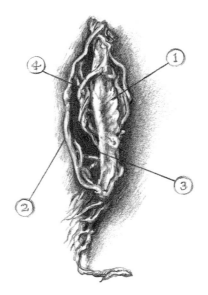

Oben links:
Komm 'rein von Bonny, 1990. Clubsessel,
92 x 89 x 78 cm. Privatsammlung.

Oben Mitte:
Clyde bereichert die kunstvolle Skulptur
seiner Schwester durch einige nuancenreiche
Akzente.

Oben rechts:
Erläuternde Zeichnung von Peter Muxlow:

1. Schwanzform
2. Einfassung mit erogenen Anklängen
3. Eiförmige Öffnung
4. Rankenformen, die die Gefahr einer
   Verstrickung symbolisieren

ist plötzlich etwas ganz anderes geworden – ein Loch, ein ausgefranster Schlitz,
aus dem vielleicht Schaumstoff knollig hervorquillt.

Manche Katzen akzeptieren an diesem Punkt dieses Neue als ihr eigenes Werk
und versuchen, es mit ihrem angeborenen Nachahmungsinstinkt zu wiederholen.
Das ist der eigentliche Anfang gegenständlicher Darstellung: das Entstehen einer
künstlerischen Sensibilität. Bei dem Versuch, diese Markierung zu wiederholen,
entsteht dann aus dem mehr und mehr zerrissenen Stoff allmählich etwas Neues.
Jetzt muß die Katze sich entscheiden: Welche der beiden Markierungen soll nun
wiederholt werden? Welcher gibt sie den Vorzug? Das ist die erste bewußte künstlerische Aussage."

Die Techniken für diese Polstermöbel-Bearbeitungen mögen einfach erscheinen, sind es aber keineswegs immer. Vor allem die älteren, weniger geschmeidi-
gen Stoffe und groben Roßhaarfüllungen bereiten beim Modellieren erhebliche
Probleme. Dann bleibt den Katzen oft nichts anderes übrig, als Fasern mit ihrem
Kot zu verkleben oder die gewünschten strukturellen Effekte durch Bespeicheln
zu erzielen. In diesem Stadium liegt es meist an der Unwissenheit der Katzenbesitzer, die dem Tier keine Malfarben zur Verfügung stellen und es daher zwin-
gen, seine künstlerischen Ambitionen weiterhin am Mobiliar auszuleben. Auf den
ersten Blick sind die neuen, leicht zu bearbeitenden synthetischen Textilien und
die rasch auflösbaren modernen Schaumstoffüllungen für die Katzen das ideale
künstlerische Medium. Diese Materialien haben aber auch ihre Tücken. Die Un-
terscheidung zwischen ernsthaften Versuchen, eine neue, katzengerechte Ästhetik
zu entwickeln, und dem, was Lübel als „dilettantische Überbewertung zufälliger
dramatischer Effekte" bezeichnet hat, ist dadurch schwieriger geworden.

„Die Kunstfaser wurde behutsam ausgefranst,
bis sie in Beschaffenheit und Farbe einem
Katzenschwanz in seiner aufrechten, ein
ladenden Form bei der Begrüßung ähnelte –
durchaus ein verführerisches Signal, aber der
Eingang dahinter wird sorgsam behütet.
Dieser beherrschende Schwanz wird
wiederum durch Ranken kompromittiert. Das
Loch mit seiner an Schamlippen erinnernden
erogenen Bordüre deutet Wollust an, in die
man sich verstricken kann." (M. Muxlow:
Klau(en)strophobie. In: Ausstellungskatalog,
Drexel Gallery of Non-Primate Art,
Philadelphia 1992.)

Dennoch können viele dieser Polsterarbeiten durchaus Anspruch auf künstlerische Eigenständigkeit erheben. Immer mehr künstlerisch begabten Katzen gelingt es, in solchen Skulpturen ihre innersten, persönlichen Erfahrungen zum Ausdruck zu bringen. So sind zum Teil sehr elegante Arbeiten entstanden, in die die Künstler auch andere Katzen häufig aktiv mit einbeziehen.

Verformbares Material wie Polstermöbel ist für die Entwicklung schöpferischer Fähigkeiten bei einer Katze nicht unbedingt notwendig. Auch die Bearbeitung einer harten Oberfläche kann dazu beitragen, das Gespür für ästhetische Wirkungen zu wecken – vorausgesetzt, die Katze widmet sich dieser Aktivität über einen längeren Zeitraum hinweg und im Einklang mit den Gesetzen effektiver Reviermarkierung. Um wirkungsvoll zu sein, muß eine Reviermarkierung so oft wie möglich innerhalb der am dichtesten besiedelten Gebiete wiederholt werden, damit sie unter der dortigen Katzenpopulation weithin bekannt wird. Zum anderen muß es sich um ein deutliches persönliches Zeichen handeln, das dennoch klar als Reviermarkierung zu erkennen ist. Eine Katze, die sich an diese Regeln hält, wird durch ein gut gesichertes Revier belohnt. Jedesmal, wenn sie ihr individuelles Reviermarkierungszeichen setzt oder sieht, überkommt die Katze ein Gefühl der Sicherheit, und sie fühlt sich dazu ermutigt, das Zeichen zu wiederholen. Allmählich beherrscht sie dies immer besser und schneller und lernt auch, wo ihre Markierungen sich am wirkungsvollsten einsetzen lassen. So entwickelt sich allmählich ein ästhetisches Urteilsvermögen und technisches Geschick, das die Katze eines Tages vielleicht zu ihrer ersten gegenständlichen Darstellung befähigt. Genau so scheint Angel, eine zehnjährige Havana-Kurzhaarkätzin, die in Kilcullen bei Dublin lebt, allmählich ihre Begabung für nachahmende Kratzspuren erkannt zu haben. Typisch für ihren wohlausgereiften Land-Art-Stil ist das Werk *Was soll das bedeuten?* (links), das auf einen runden Torpfosten aus Holz gekratzt wurde. Als Inspiration dient Angel fast immer ein Lebewesen, in diesem Fall die Kuh Isabella. Isabella kennt sie seit ihrer Kindheit. Als junges Kätzchen hatte sie große Freude daran, nach dem wedelnden Schwanz der Kuh zu springen. Später fühlte sie sich mit unwiderstehlicher Macht zu dem schlaffen, weichen Euter hingezogen, das so schön hin und her baumelte, wenn man mit der Pfote danach schlug. So entdeckte sie eines Tages das Geheimnis der Milchquelle. Doch ehe Angel herausfinden konnte, wie man sich diese Quelle zunutze macht, setzte Isabella sich hin und hätte sie beinahe zerquetscht. Fast eine Minute lang war Angel völlig von den warmen, gummiartigen Falten von Isabellas Euter umhüllt. Das war eine zutiefst prägende Erfahrung für die junge Künstlerin.

Der ästhetische Einsatz von Kratzspuren gehört zu den beliebtesten Techniken der Katzenkunst. Doch darf man diese Technik nicht mit den Ergebnissen animalischer Zerstörungswut verwechseln, die manche Katzenbesitzer aus Unwissenheit oder Profitsucht für Kunst ausgeben. Kratzbilder setzen ein hohes Maß an Gestaltungswillen voraus und entstehen fast immer über einen langen Zeitraum hinweg. Vor allem die Kau- oder Mundkunstwerke erfordern viel Zeit, sind meist das Ergebnis großen künstlerischen Engagements und zeichnen sich häufig durch eine besondere Tiefe der Aussage aus. Zu dieser Kategorie gehört das Bild *Böse Katze* von Fritz (Fritz de Flayed-Mouse Fischl) aus Los Angeles.

Oben:
Seit dem Erlebnis mit dem Euter ist Angels Beziehung zu der Kuh Isabella von einem gewissen Verlangen nach Rache gefärbt. Jeden Tag muß Isabella zum Melken durch mehrere Tore gehen. Angel nutzt diese Gelegenheit, um von einem der Torpfosten auf Isabellas Rücken zu springen und die Oberflächenstruktur ihres knochigen Rückens zu erforschen. Das bringt Isabella regelmäßig in Rage. Sie tut alles, um Angel daran zu hindern, und versucht es sogar mit dem bewährten Rinder-Hypnoseblick.

Links:
Was soll das bedeuten? 1993. Kratzspuren an Torpfosten, 151 x 28 x 28 cm. Sammlung des Besitzers. In diesem neueren Werk kommt Angels zwiespältiges Verhältnis zu Isabella klar zum Ausdruck. „Der Pfosten scheint sowohl die Kuh als auch die Beziehung zwischen Kuh und Katze darzustellen. Die Drähte schneiden tief ins Holz ein, so daß es darunter hervorquillt wie ein prall gefülltes Euter. Die tiefen senkrechten Risse, die das Holz spalten, sind ein deutlicher Hinweis auf bedrohte Integrität." (Ausstellungskatalog)

Rechts:
Böse Katze, 1991. Jalousie, 114 x 167 cm. Stiftung Rosemarie Trickel, Berkeley. In neun Monaten schöpferischen Kauens und Kratzens entstand dieses Bild einer Katze, die sich einen Weg durch die Barrieren eines von moderner Technik geprägten Haushalts sucht: eine eindeutige Anspielung auf die Einschränkung der Bewegungsfreiheit von Katzen durch die Machwerke der industriellen Massenproduktion.

Unten:
Fritz mit seinem Werk *Wenn die Katze aus dem Haus ist*. Kratzspuren auf lackiertem Metall, 16 x 67 cm. Das Foto wurde uns freundlicherweise vom *Institute for the Promotion of Cat Art* in London zur Verfügung gestellt.

Sofort fällt hier der geschickte Einsatz negativen Raums auf: der Umriß einer Katze mit steil aufgerichtetem Schwanz und leicht angehobener Vorderpfote, die direkt auf den Betrachter zukommt und diese verhaßte Barriere der modernen technischen Massenproduktion trotzig durchschreitet, geradewegs ins Licht und in die Freiheit hinein. Das elastische Material der Jalousie verbiegt sich, als schmelze es unter sengender Hitze. Fritz hat sich seine Unabhängigkeit vom modernen Katzen-Zeitgeist bewahrt. Auch wenn man sagen könnte, daß sein Werk mit der Zurschaustellung von weißem Plastikmüll ein wenig mit der Avant-Grunge kokettiert, bringt es doch die ernsthafte Betroffenheit des Künstlers über die erdrückende Welt der Technik zum Ausdruck, in der Hauskatzen sich heute bewegen müssen. Sogar sein tragischer Tod bestätigt diese Deutung: Fritz starb 1993 an einem Stromschlag, als er an einer rekonstruktionistischen Skulptur mit einem Fernsehkabel arbeitete – ein großer Verlust für diese künstlerische Richtung, der nun einer ihrer führenden Köpfe fehlt. Fritz hat ein eindrucksvolles Œuvre hinterlassen, darunter so berühmte Barbie-Kaubilder wie *Zen mit Ken* (1991) und *Das Klatschen mit einer Pfote* (1992).

Katzen sind von ihrem Knochenbau her sehr beweglich und muskulös. Das befähigt sie dazu, die unterschiedlichsten Positionen über einen längeren Zeitraum hinweg einzunehmen. Trotzdem bedienen sich bislang nur wenige Katzen des künstlerischen Mediums der Körperskulptur. Den wenigen Katzenbesitzern, die das Gegenteil behaupten, fehlt häufig das erforderliche Gespür. Sie können nicht unterscheiden, ob ihre Katze wirklich eine Meisterin der Performance-Kunst ist (sie zeichnet sich durch eine vollkommen erstarrte Körperhaltung aus, mit der der Künstler den Betrachter aufrütteln und zu seiner inneren Wandlung beitragen möchte), oder ob sie sich lediglich in den sehr langsamen, kontrollierten Bewegungen übt, mit denen Katzen sich an Beutetiere heranpirschen.

Links:
Diese Katze imitiert die spitze, schnurrhaarige Nase einer Maus und führt ihrem Publikum mit leidenschaftlichem Engagement vor, wie die Welt aus der Perspektive der Beute aussieht.

Unten:
Misty stellt mit ihrem Körper die lebende Skulptur einer Maus dar. So entsteht eine intensive, von gegenseitigem Einfühlungsvermögen geprägte Kommunikation zwischen Künstler und Betrachter, Katze und Maus.

Die Betonung oder Akzentuierung ist eine Ausdrucksform, die sich wegen ihrer großen Ähnlichkeit mit fortgeschrittenen Techniken der Reviermarkierung manchmal nur schwer interpretieren läßt. Im Gegensatz zu den verschiedenen Formen der Kratzkunst, wo neue Bilder geschaffen werden, indem der Künstler einen Gegenstand zweckentfremdet, in seine Bestandteile auflöst oder verwandelt, ist die Akzentuierung eine Form der Dekoration. Dabei wird Farbe oder ein anderes künstlerisches Medium auf ein bereits vorhandenes Objekt oder Kunstwerk aufgetragen, um einen bestimmten Aspekt zu betonen.

Leider gibt es kein sicheres Verfahren, solche Akzentuierungen von Zeichen zu unterscheiden, die lediglich einen Besitzanspruch markieren. Doch ganz allgemein läßt sich sagen, daß sie um einiges komplexer sind als einfache Markierungen. Wirklich problematisch wird es erst dann, wenn zwei Katzen im Wettstreit miteinander markieren. Dabei fügen sie oft abwechselnd immer wieder neue Elemente hinzu, bis das ganze Objekt mit dicken Farbschichten übermalt ist. In solchen Fällen muß man den Schaffensprozeß schon genau beobachtet haben, um mit hundertprozentiger Sicherheit sagen zu können, ob es sich hier um eine Akzentuierung handelt oder nicht.

Oben:

Jonas und der Wal, 1989. Acryl auf Holzfisch, 72 x 39 x 37 cm. Privatsammlung. Beide Künstler sind mittlerweile so arriviert, daß kein Zweifel daran besteht, daß es sich hier um eine authentische dekorative Arbeit handelt und nicht um einen Wettbewerb im Reviermarkieren. Julie (rechts) ist vor allem durch ihre sensiblen Kolorierungen alter italienischer Seekarten hervorgetreten, während Schnabley Puss seine Berühmtheit hauptsächlich seinen herausragenden Mixed-Media-Techniken verdankt, wie beispielsweise Sardellenpaste und Truthahnknochen auf zerbrochenen Milchschalen.

Die Fähigkeit von Katzen, klare Linien zu ziehen und damit Kothaufen oder Urin in ihrem Revier zu markieren, wird leider häufig durch ungeeignetes Material wie beispielsweise grobkörnige Katzenstreu beeinträchtigt (vgl. Seite 27).

Katzen, denen feiner, feuchter Sand zur Verfügung steht, können darin viel besser deutlich abgegrenzte Rillen und interessante Strukturen erzeugen. Das fördert die Entwicklung ihres ästhetischen Empfindens.

Das klassische Muster in einer Katzenstreu- kiste besteht aus zwei oder drei tiefen Rinnen, die auf den zugescharrten Kothaufen zulaufen. Markierungen unsicherer Katzen enthalten oft auch noch zusätzliche krumme Linien.

Eine einfache, aber etwas zu stark betonte geschwungene Markierung mit der Andeu- tung einer zweiten Kurve, die parallel zur ersten verläuft. Hier zeigt sich bereits eine beginnende Fähigkeit, bestehende Formen zu kopieren.

Ein etwas komplizierteres Muster aus schmalen, sorgfältig ausgearbeiteten Kurven. Dabei wird der Boden der Katzenkiste wirkungsvoll in die fließende Bewegung des Gesamtwerks mit einbezogen.

Ein sehr fortgeschrittenes Motiv in Form einer Pfauenfeder oder eines symbolischen Katzenschwanzes. Darunter übrigens – hochinteressant! – deutlich ein Pfoten- abdruck als Punkt des Fragezeichens. Hier war ein Künstler am Werk.

Links:
Das Spiel mit Wasser führt oft zu
kreativen Experimenten mit
Pfotenabdrücken und wird gern
auf beschlagenen Fensterscheiben
weiterentwickelt (Skulptur
Der Garten von Jo Torr).

Oben:
Fluff und ihr unvollendetes Bild *Ohne Titel*
(1994). Beim Spiel mit Farben im Badezim-
mer entstehen oft anspruchsvolle Gemälde.

Oben:

Viele Katzen spielen gern mit Wolle, aber Fluff schafft echte künstlerische Installationen daraus. Wie ihr Besitzer schreibt, hat sich Fluffs Technik in den letzten drei Jahren grundlegend weiterentwickelt: „Sie verwendet jetzt weniger Wolle und mehr verschiedene Farben als früher. Außerdem zieht sie die Knoten richtig fest und springt überall damit herum." Die Kritikerin Christine Carswell bestätigt dies in ihrer Besprechung in der Zeitschrift *Moderne Katzenkunst*: „Fluff zeigt hier eine größere Detailgenauigkeit und Sparsamkeit der künstlerischen Mittel als bei ihren ersten Installationen. Die betont eng (fast mit einem Beiklang von Grausamkeit) gewickelten Intensitätsknoten sind feiner, und Farbe und Form haben weniger formalen Zusammenhalt. Das trägt zur Aussagekraft dieser Figuren bei, die den Betrachter sofort an tote oder fast tote Beute denken lassen. Die Oberflächenstruktur dieser Installation atmet Erregung, Entzücken und kulinarischen Genuß. Aber ich sehe da auch etwas Reinigendes; fast ist es so, als wolle der Jäger seine Schuld von sich abwaschen."

Links:

Schnell – Beute in Sicht! (1993). Installation von Fluff, Wolle auf Teppich, 149 x 93 cm.

Installationen mit Tierkadavern oder Teilen davon waren leider schon immer sehr anfällig für Fehlinterpretationen. Menschliche Intoleranz, speziell gegenüber Nagetieren, und der weitverbreitete Ekel vor ungehäuteten oder nicht ausgenommenen Tierleichen führten dazu, daß ein Großteil der wertvollen Katzenkunst, bei der solche Motive eine Rolle spielen, einfach vernichtet wurde. Und was noch schlimmer ist: Die zahlreichen Katzen, die ihre behutsamen Arrangements solcher „Lebens-Zeichen" im Haus ihres Besitzers schaffen, wo sie am ehesten gewürdigt und für die Nachwelt erhalten werden können, werden für ihre Bemühungen meist eher zurechtgewiesen als gelobt. Das entmutigt sie natürlich, und oft geben sie es dann auf, diese originelle Richtung künstlerischen Ausdrucks weiter zu erkunden.

Wenn Katzen tote oder halbtote Beute ins Zentrum ihres Reviers – nach Hause – zurückbringen, möchten sie ihren Besitzern damit einfach Dankeschön sagen: Sie bringen frisch getötetes Fleisch als Gegenleistung für das Fressen, das sie von ihren Menschen bekommen haben. Berichten zufolge geben sich in letzter Zeit

Oben:
Radar bereitet eine Maus für eine ihrer nächtlichen Installationen vor. Oft bezieht sie auch Treppen in ihre Werke ein, um interessantere räumliche Effekte zu erzielen.

immer mehr Katzen große Mühe, diese kleinen Tierleichen oder Fragmente von Tierleichen in reizvoller, origineller Form zu arrangieren. Darauf verwenden sie so viel Zeit und Sorgfalt und gehen mit solch einer Präzision dabei vor, daß das Ergebnis einfach nichts anderes sein kann als eine wohldurchdachte Form künstlerischen Ausdrucks.

Die künstlerische Entwicklung einer siebenjährigen Kurzhaarperserkatze namens Radar, die in Santa Monica lebt, hat vom einfühlsamen Verständnis ihrer Besitzer sehr profitiert. Sie konnten in den letzten drei Jahren eine beeindruckende fotografische Dokumentation ihrer Werke zusammenstellen, darunter auch ein Video von einer kinetischen Installation, das Radar sich immer wieder begeistert anschaut. Es zeigt eine flügellose Libelle zusammen mit einer halbtoten Spitzmaus – ein ergreifendes und beunruhigendes Werk, das manchmal leider ein wenig ins Profane abgleitet. Im Gegensatz zu anderen Live-Installationisten wie Bully aus Seoul (Stricknadeln und Fische) oder Moro aus Mailand (Puppen aus Pappmaché und Schnecken) arbeitet Radar ausschließlich mit lebenden Objekten – oder jedenfalls solchen, die einmal gelebt haben. Sie konstruiert ihre Installationen über einen Zeitraum von mehreren Tagen hinweg mit peinlicher Sorgfalt. Dabei wird jedes Teil vorsichtig in eine Reihe verschiedener aussagekräftiger Positionen gebracht, bis die Beziehungen aller Elemente untereinander gründlich ausgelotet sind.

In seiner Kritik einer Ausstellung von Radars Installationen schreibt John Ribberts: „Von all ihren Arbeiten hat mich gerade die einfachste am meisten berührt, nämlich Infra-Mäuse (links), ein wunderbar ausbalanciertes, friedvolles Arrangement von zwei toten Mäusen, die zusammen auf einem grauen Ozean dahinzutreiben scheinen. Ihre winzigen Körper, naß und zerzaust, verschmelzen miteinander, als habe eine mächtige Kraft sie zusammengeführt. Doch nur ihre Köpfchen berühren sich – eine geradezu spirituelle Vereinigung, eine kurze Harmonie der Visionen, schmerzlich relativiert durch die weite Kluft zwischen ihren Körpern und den langen, in weicher Bewegung dahinfließenden Schwänzen. Wieder einmal widmet Radar sich hier ihrem Lieblingsthema – der Unausweichlichkeit der Trennung – und zeigt, wie notwendig gerade in unserer Zeit das Streben nach Nähe ist. Die Frage ist jedoch, wie man diese Nähe erreichen kann, ohne den tiefverwurzelten Unabhängigkeitssinn aufzugeben, der bei einer Künstlerin wie Radar sicherlich noch ausgeprägter ist als bei anderen Katzen."

Links:
Infra-Mäuse von Radar (1994). Spontan-
Installation, Mäuse auf Wohnzimmer-
Teppichboden, 13 x 12 cm. Santa Monica.
Dank der einfühlsamen Ermutigung ihrer
Besitzer zeigen Radars detailverliebte
Konstruktionen mit „fixierten" Lebensformen
inzwischen große Reife und eine klare,
wohldurchdachte Intention.

Danksagung

Die Arbeit an diesem Buch – von den ersten Recherchen und Planungsarbeiten bis hin zu den Fotografien und zum fertigen Manuskript – hat sich über sieben Jahre erstreckt. Zu tiefem Dank sind wir all jenen verpflichtet, die uns so großzügig ihre Zeit und ihr Wissen zur Verfügung gestellt haben. Unser besonderer Dank gilt den zahlreichen Katzenbesitzern und Mitgliedern von Katzenkunstgesellschaften in aller Welt, die uns ihre Fotoarchive öffneten und uns erlaubten, ihre Katzen bei der Arbeit zu beobachten und zu fotografieren. Besonders danken möchten wir Lynda Aitken, Mrs. Andersen, Val & Kevin Ball, Robert & Michelle Barge, Bob Barge, Liz Beasley, Anna Bell, Gael Binns, Jacqui & William Bonne, Sue Bradley, Rose & Fred Brittain, Beverley Brown, Dawn & Donna Burgess, Polly Buring, Mrs. & Lynda Coogan, Bill, Arja & Bran Davis, Lyn Davis, Sofia di Baci, Mrs. Chris Franklin, Margaret Gough, Sheldon Gunn, Gwenyth & John Halson, Jo & Murray Hedges, Hilma Hultenburg, Lorraine Kef, Edith Kern, Miri King, Berryl Lewis, Sandee Lidbetter, Nora Mann, Larry & Agnes Martin, Colin McCahon, Pam Nathan, Alli, Clive & Phyll Payton, Ginny Rastall, Maizy Reece, Margaret & John Ridge, Denise & Guy Sandle, Lorna & Don Simpson, Mrs. Stein, Jane Standenburg & Ellie Taylor.

Ganz spezieller Dank gebührt auch dem Iris Mary Davies Memorial Trust; ohne seine großzügige Unterstützung wäre dieses Buch nicht entstanden. Iris Mary Davies war die erste, die uns auf die Idee brachte, daß menschliche Gedanken in der Lage sein könnten, Katzen zu ihren ersten künstlerischen Versuchen zu inspirieren. Ihre klaren, überzeugenden Beobachtungen zu diesem Thema formulierte sie bereits fünf Jahre, ehe die erste wissenschaftliche Veröffentlichung über das interspezifische morphogenetische Feld erschien. Im Jahr 1976 schrieb sie an einen Freund:

„Als ich Dir dann Tigers Gemälde geschickt hatte und Du sie mit eigenen Augen gesehen hattest, warst Du sicher, daß Katzen malen können. Und vielleicht hat diese Gewißheit, daß es Katzen gibt, die malen können, eine Art positiver Kraft erzeugt, die dann auch Deiner lieben Blackie die Richtung wies. Hier war – so glaube ich jedenfalls – mehr im Spiel als nur das Kraftfeld, das von meiner Katze ausging. Es muß schon etwas Stärkeres gewesen sein, was Deine Blackie, die immerhin über 60 Meilen von unserem Haus entfernt wohnt, plötzlich veranlaßte, das gleiche zu tun wie unsere Katze. Wenn es so gewesen wäre wie bei den Affen, die Du erwähnt hast, die auf einmal anfingen, ihre Kartoffeln zu waschen, nachdem andere Affen auf einer ganz anderen Insel dies gelernt hatten, dann frage ich mich: Warum dauerte es zwei Jahre, bis Blackie anfing zu malen? Warum begann sie gerade dann damit, als ich Dir Tigers Bilder geschickt hatte, und warum hat nicht irgendeine andere Katze hier in der Gegend zu malen angefangen? Ich bin überzeugt, es war Dein Wissen um die Möglichkeit, daß Katzen malen können. Dieses Wissen hat jene Energie freigesetzt, die Deine Katze als Anstoß für ihre ersten künstlerischen Versuche brauchte – so wie Wasser ein Samenkorn, das jahrelang ohne Regen in der Wüste gelegen hat, plötzlich zum Keimen bringt."

Deshalb möchten wir diese Studie feliner Kreativität Iris Mary Davies widmen. Möge es dazu beitragen, ihre Vision von einer Welt, in der Tiere wahrhaft unsere Partner sind, Wirklichkeit werden zu lassen.

Auswahlbibliographie

Diese Liste enthält die wichtigsten Einführungen und Standardwerke zum Thema Katzenkunst, daneben aber auch noch einige wissenschaftliche Werke für interessierte Leser, die vertiefende Literatur über spezielle Aspekte suchen, die in diesem Buch behandelt wurden.

Ark, P.: *Überlegungen zum gegenständlichen Invertismus in den Reviermarkierungen von Katzen.* Varnadoe & Kirk, New York, 1992

Arora, D.: *Psychedelische Genüsse. Über die Auswirkungen der Katzenminze auf das kreative Verhalten von Hauskatzen auf Long Island.* In: *Moderne Katzenkunst*, Heft II, 1992

Ball, H.: *Wohlüberlegte Pfotenspuren. Magie und Bedeutung von Reliefmustern in der Katzenstreu.* Silve & Seymour, Cambridge, 1992

Borg, G.: *Rindenkratzereien aus dem Norden Australiens.* McMahon University Press, Darwin, 1990

Ciacometti, A.: *Vergeßt die Katzen – rettet die Kunst. Versuch einer Neuorientierung.* Raspail Schwitters & Prat, Lyon, 1989

Denis, M.: *Kreative Pfoten. Wie Sie Ihrer Katze helfen können, eine bessere Technik zu entwickeln.* Order Press, New York, 1989

Fogle, B.: *Einblicke in die Katzenpsyche.* Pelham Books, London, 1991

Hergott, E. (Hrsg.): *Katzenkunst heute. Biographisches Register der bedeutendsten amerikanischen Maler und Kratzkünstler.* Flex Books, Boston, 1993

Larsen, K.: *Wörterbuch der modernen Kunstkritik. Die wichtigsten Fachbegriffe.* Kimmelman Reference Library, New York, 1987

Long, R.: *Kreative Stretchingübungen für Katzen.* Knight & Christopher, Los Angeles, 1990

Lord-Osis, J.: *Erotische Pfotographie: Pfotenmarkierungen als Medium sexueller Kommunikation bei schwedischen Hauskatzen.* In: *Zeitschrift für angewandte Ästhetik*, Heft VI, 1991

Lukax, A.: *Destruktivismus und moderne Katzenästhetik.* Pagan Books, Boston, 1987

Luxe, C.: *Matisse in Beaurivage. Versuch einer Theorie über die Beziehung der Staffeleiposition zu potentiellen harmonischen Resonanzpunkten.* In: *Neuere Katzenkunst*, Heft II, 1992

Marandel, J.: *Die geheime Bedeutung von Katzenmarkierungen.* Crystal Arts, Berkeley, 1986

Morris, P.: *Die Sprache des Schwanzes.* Fulica Press, Ascot, 1962

Mutt, R.: *Die ästhetische Bedeutung des Rückwärtsharnens. Neue Aspekte für die Interpretation fäkaler Dekorationen.* In: *Zeitschrift für Nicht-Primaten-Kunst*, Heft XV, 1991

Palettie, P.: *Ist künstlerische Begabung züchtbar? Versuch einer kritischen Würdigung des künstlerischen Werks moderner Katzenkreuzungen.* Buhler & Lynes, Baltimore, 1983

Rosenbloom, R.: *Persisches Kunsthandwerk.* Bothmer & Bernhard, New York, 1990

Sivinty, L.N. & P.T.: *Udjat-Katzen. Eine Epistemologie der Reviermarkierungen von Katzen im alten Ägypten.* Umbawarrah University Press, Perth, 1972

Tancock, J.: *La vie et l'œuvre de Minnie Monet Manet.* Rosenberg & Schnapper, Paris, 1988

Wunderlich, R.: *Warum Hunde nicht malen.* Da Costa & Kaufmann, Princeton, 1993